確かな力が身につく

PHP

「超」入門

著=松浦健一郎／司 ゆき

第2版

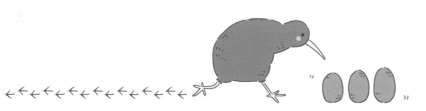

本書に関するお問い合わせ

この度は小社書籍をご購入いただき誠にありがとうございます。小社では本書の内容に関するご質問を受け付けております。本書を読み進めていただきます中でご不明な箇所がございましたらお問い合わせください。なお、お問い合わせに関しましては下記のガイドラインを設けております。恐れ入りますが、ご質問の際は最初に下記ガイドラインをご確認ください。

ご質問の前に

小社Webサイトで「正誤表」をご確認ください。最新の正誤情報をサポートページに掲載しております。

▶ **本書サポートページ**
   URL https://isbn2.sbcr.jp/17141/

ご質問の際の注意点

・ご質問はメール、または郵便など、必ず文書にてお願いいたします。お電話では承っておりません。
・ご質問は本書の記述に関することのみとさせていただいております。従いまして、○○ページの○○行目というように記述箇所をはっきりお書き添えください。記述箇所が明記されていない場合、ご質問を承れないことがございます。
・小社出版物の著作権は著者に帰属いたします。従いまして、ご質問に関する回答も基本的に著者に確認の上回答いたしております。これに伴い返信は数日ないしそれ以上かかる場合がございます。あらかじめご了承ください。

ご質問送付先

ご質問については下記のいずれかの方法をご利用ください。

▶ **Webページより**

上記のサポートページ内にある「お問い合わせ」をクリックするとメールフォームが開きます。要項に従って質問内容を記入の上で送信してください。

▶ **郵送**

郵送の場合は下記までお願いいたします。

〒105-0001
東京都港区虎ノ門2-2-1
SBクリエイティブ　読者サポート係

はじめに

　本書はこれからPHPを学ぶ方のための入門書です。初めてプログラミングをする方にも、楽しみながら技術を習得していただけるように心がけました。

　本書は、次のような全8章から構成されています。

◆ 序盤（Chapter1～3）

　メッセージを表示するだけの、わずか数行の簡単なスクリプトから始めます。ユーザーからの入力に応じた出力を行う、動的なWebサイトが作れるようになります。

◆ 中盤（Chapter4～5）

　セレクトボックスやラジオボタンといった、Webページに配置するいろいろなコントロールの入力を処理する方法について学びます。また、ファイルの読み書きやアップロードといった、Webサイトの構築に役立つ処理が使えるようになります。

◆ 終盤（Chapter6～8）

　データベースと連携する方法を学び、ショッピングサイトを構築します。本格的なWebアプリケーションを開発し、公開することができるようになります。

　各章は複数の項目に分かれています。各項目の最初には、その項目で実現する目標を示しました。そして、実現までの手順を何段階かのStepに分割し、途中の結果を確認しながら、少しずつプログラミングを進められるようにしました。

　Noteと示した囲みには、理解を深めるための説明や、知っておくと便利なテクニックなどを掲載しました。後で読んでいただいても、気になる記事だけを読んでいただいても構いません。

　本書は、例えば次のようにお使いいただけます。

◆ 本書だけで

　電車の移動中などにお読みいただく場合には、掲載された実行結果を確認しながら、読み進めてみてください。リストや解説の気になる箇所に印を付けておいて、コンピュータが使える状態になったら、ぜひ実際にサンプルを動かしてみてください。

◆ コンピュータを使って手早く

　コンピュータが使える環境ならば、サンプルを動かしながら、解説をお読みください。そして、学んだ知識を使って、サンプルの一部に手を加えてから実行し、理解が正しかったことを確認してみてください。

◆ コンピュータを使ってじっくりと

　気になるサンプルについては、一度ファイルの内容を消去して、掲載されたリストを入力していただくこともできます。リストを打ち込むことで、キーワードや構文を覚えやすくなる効果があります。

　本書を通じて、PHPのプログラミングを楽しく学んでいただけることを、心より願っています。

松浦健一郎/司 ゆき

Contents

Chapter 5 関数を使いこなす　139

Chapter 6 データベースの基本と操作 183

Chapter 7　実用的なスクリプト　　263

Chapter 1

イントロダクション

本章ではPHPの概要を説明します。これからPHPを学ぶために、実際にPHPが使われている場面や、PHPが動く仕組み、他のプログラミング言語との違いなどを解説します。そして、本書でPHPを学ぶ手順について紹介します。

PHPは何に使われるのか？

　PHPは1995年に生まれたプログラミング言語です。プログラミング言語とは、コンピュータの
プログラムを記述するための言語であり、プログラムとは、コンピュータに対して与える命令を記
述したものです。

　プログラムを記述する人のことを「プログラマ」と呼びます。また、コンピュータがプログラム
に書かれた命令に従って動作することを、「プログラムを実行する」と呼びます。

Fig　プログラミング言語とプログラム

　プログラミング言語には非常に多くの種類があり、言語ごとに得意とする分野があります。その
なかでPHPが得意とするのは、Webアプリケーションの開発です。Webアプリケーションとは、イ
ンターネットなどのネットワークを介して利用するアプリケーションソフトウェアのことです。

Fig　Webアプリケーションのイメージ

 ## プログラムとスクリプト

　プログラミング言語は、高機能なアプリケーションの作成に適した高度なものから、比較的簡単なアプリケーションの作成に適した簡易的なものまでさまざまです。簡易的なプログラミング言語のことを「スクリプト言語」と呼ぶことがあり、スクリプト言語で書かれたプログラムのことを「スクリプト」と呼びます。PHPで記述したプログラムについては、「プログラム」という呼び方と、「スクリプト」という呼び方の、両方が使われています。

　下記のPHPの公式マニュアルでは、スクリプトという呼び方が使用されています。そこで本書でも、PHPのプログラムに関しては、**スクリプト**や**PHPスクリプト**と呼ぶことにします。

▶ PHPマニュアル
　`URL` https://php.net/manual/ja/

 ## さまざまなWebアプリケーションに使われている

　私たちはインターネットなどのネットワークを通じて、多くのWebアプリケーションを利用しています。Webアプリケーションには、例えば次のようなものがあります。

◆ **ショッピング**
　ネットワークを通じて、商品の検索や注文をすることができます。

◆ **バンキング**
　ネットワークを通じて、銀行の残高確認や振り込みを行うことができます。

◆ **ブログ**
　ニュースや日記などの記事を投稿し、Web上に掲載することができます。

◆ **SNS(ソーシャル・ネットワーキング・サービス)**
　メッセージの送受信やブログの掲載を通じて、他のユーザーと交流することができます。

　鉄道や自動車のルート検索サイトや、ホテルやレストランの予約サイトなども、Webアプリケーションの例です。私たちは日常的に、実にさまざまなWebアプリケーションを利用しています。Webアプリケーションの開発に向いたPHPは、Webサイトを構築するエンジニアにとって非常に有用な言語であるといえます。

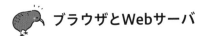 ブラウザとWebサーバ

Webアプリケーションは、**ブラウザとWebサーバが連携して実現しています。ユーザーはブラウザを操作し、ネットワークを介してWebサーバと通信することによって、Webアプリケーションの機能を利用します。**

Fig　ブラウザとWebサーバでWebアプリケーションを実現する

ブラウザは、Webを閲覧するためのソフトウェアです。Webブラウザと呼ぶこともありますが、本書では「ブラウザ」と呼ぶことにします。ブラウザの例としては、Chrome、Safari、Edge、Firefoxなどがあります。本書では、**Chrome**を使います。

Webサーバはネットワークを介してブラウザと接続し、ブラウザの要求に応答して処理を行うソフトウェアです。Webサーバのソフトウェアが動作しているコンピュータのハードウェアをWebサーバと呼ぶこともあります。Webサーバの例としては、Apache、Nginx、IIS（Internet Informaion Services）などがあります。本書では、Webサーバは**Apache**を利用します。

リクエストとレスポンス

ユーザーがブラウザを操作すると、ブラウザはネットワークを介して、Webサーバに要求を送信します。この要求のことを**リクエスト**と呼びます。

Webサーバはリクエストを受け取ると、Webアプリケーションの機能を提供するプログラムを実行し、実行結果を応答として、ネットワークを介してブラウザに送信します。この応答のことを**レスポンス**と呼びます。

ユーザーとブラウザがいる側のことを「クライアントサイド」、Webサーバがいる側のことを「サーバサイド」と呼ぶことがあります。本書で作成するPHP言語を使ったスクリプトは、サーバサイドで動作します。

Fig　リクエストとレスポンス

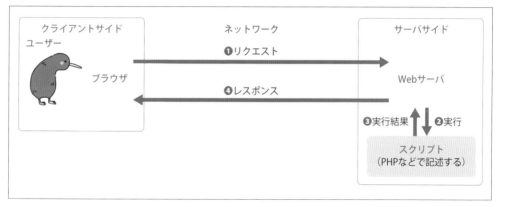

　リクエストとレスポンスは、HTTP（Hypertext Transfer Protocol）と呼ばれる通信プロトコル
に基づいて行われます。通信プロトコルとは、ネットワーク上で通信を行うための取り決めのこと
です。実際のWebサイトでは、HTTPの安全性を高めたHTTPS（HTTP Secure）が広く使われて
います。本書における学習用の環境では、特別な設定が不要なHTTPを使います。

覚えておこう！

　ブラウザはWebサーバにリクエストを送って、実行結果をレスポンスとして受け取ります。

 PHPが実現する機能

　非常に簡潔なプログラムで、Webアプリケーションを構築できることがPHPの特徴です。例え
ば、ログインやログアウトといった**ユーザー認証機能**を実現することができます。ユーザー認証は
多くのWebアプリケーションに必須な機能です。先に挙げたショッピング・バンキング・ブログ・
SNSのいずれも、ユーザー認証機能を含んでいます。
　また、ネット通販などのショッピングサイトにおける**カート機能**を実現することができます。
カートとは、これから注文する商品を決済するまで一時的に登録しておく機能で、多くのショッピ
ングサイトがカートの機能を備えています。
　これらの機能を実現するうえで重要なのは、次のような処理です。

▶ **リクエストを解析する処理**
▶ **データベースを操作する処理**
▶ **レスポンスを生成する処理**

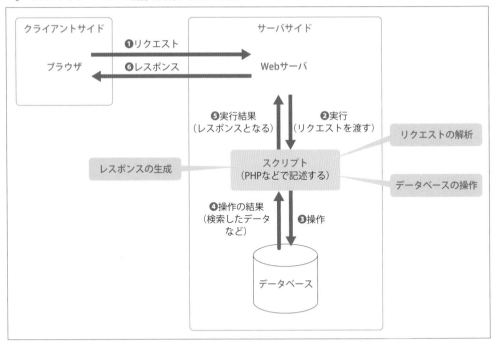

Fig Webアプリケーションの機能を実現するための処理

ブラウザから送信されたリクエストを解析し、リクエストに対応した処理を行って、ブラウザに対してレスポンスを送信します。リクエストに対応した処理の典型的な例は、**データベース**を操作する処理です。

PHPはこれらの処理を簡潔に記述するための機能を備えています。そのため、PHPはWebアプリケーションを実現するのに向いた言語となっています。

📢 スマートフォンアプリ開発への応用

Webアプリケーションの構築を学ぶと、スマートフォンやタブレットで動作するアプリの開発にも役立ちます。例えば、最近では多くのスマートフォンアプリがサーバサイドと連携しますが、このサーバサイドのスクリプトはWebアプリケーションを応用して作成することができます。

スマートフォンアプリのなかには、アプリ自体はブラウザの機能だけを持ち、主な機能はサーバサイドで提供するものもあります。Webアプリケーションの構築ができれば、このようなアプリも容易に開発できます。

PHPスクリプトの動かし方

PHPスクリプトは、拡張子が「.php」のテキストファイルです。このファイルをサーバサイドの指定された場所に配置することで、PHPスクリプトをWebサーバと連携させて動作させることができます。一般的には、サーバサイドにあるディスク内の、指定されたフォルダに「.php」ファイルを配置します。

Fig　PHPスクリプトとWebサーバの連携

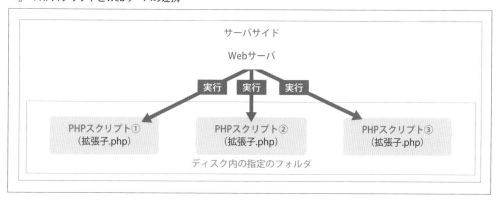

テキストファイルとは、文字のデータだけが含まれるファイルのことです。**テキストエディタ**と呼ばれるソフトウェアを使って、閲覧や編集を行えます。テキストエディタの例としては、Windows環境のメモ帳や、macOS環境のテキストエディット、Linux環境のviやEmacsなどがあります。

 **PHPタグ**

PHPスクリプトは、「.php」ファイルのなかに、<?phpと?>で囲んで記述します。これらを**PHPタグ**と呼びます。**<?php**は開始タグ、**?>**は終了タグと呼びます。開始タグと終了タグの間に、スクリプトの内容を書きます。

ごく短いスクリプトは、次のように1行で書くことができます。

一般的には、次のように複数行にわたってスクリプトを書きます。

Fig　PHPスクリプトの書き方②

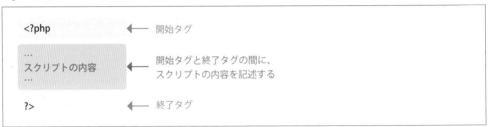

　　以下はブラウザの画面上に「Welcome」と表示する簡単なスクリプトの例です。echo 'Welcome';の部分がスクリプトの内容です。このスクリプトの内容については、Chapter3 (p.46) で解説します。

welcome.php   PHP

```
<?php
echo 'Welcome';
?>
```

覚えておこう！

　　　　PHPスクリプトは開始タグ<?phpと終了タグ?>の間に記述します。

 ## PHPスクリプトの実行方法

　　PHPスクリプトを記述した「.php」ファイルは、サーバサイドの指定された場所に配置します。一般的には、Webサイトの「.html」ファイル（HTMLファイル）と同じ場所に、「.php」ファイルも配置します。本書では、例えば以下のような場所に「.php」ファイルを配置します。

c:¥xampp¥htdocs¥php¥chapter2¥welcome.php

「c:」はコンピュータのCドライブを指します。以下の「¥」はフォルダの区切りを表します。この例は、「Cドライブのxamppフォルダ内の、htdocsフォルダ内の、phpフォルダ内の、chapter2フォルダ内の、welcome.phpというファイル」という意味です。

PHPスクリプトを実行するには、ブラウザから「.php」ファイルのURLを開きます。本書において、上記のような場所に配置した「.php」ファイルを実行するには、ブラウザから以下のようなURLを開きます。

実行　http://localhost/php/chapter2/welcome.php

「http:」はHTTPを表します。localhostは、ブラウザが動作しているコンピュータを指します。以下の「/」はフォルダの区切りを表します。この例は、「HTTPを使って、localhostコンピュータの、phpフォルダ内の、chapter2フォルダ内の、welcome.phpを開く」という意味になります。

「.php」ファイルを配置する場所と、ブラウザで開くURLが対応していることに注目してください。先頭の「c:¥xampp¥htdocs」と「http://localhost」が違い、フォルダの区切りは「¥」と「/」のように違いますが、「php」「chapter2」「welcome.php」は、両者に共通しています。

PHPスクリプトの実行については、Chapter2（p.37）であらためて解説します。ここでは、「ブラウザから「.php」ファイルのURLを開く」ということを覚えておいてください。

ブラウザで上記のURLを開くと、WebサーバはURLに対応する「.php」ファイルを開き、PHPスクリプトを実行します。そしてスクリプトの実行結果を、レスポンスとしてブラウザに返します。

Fig　PHPスクリプトの実行

ブラウザはレスポンスの内容をブラウザの画面に表示します。一般にレスポンスの内容は、HTMLで記述されたWebページです。したがって、ブラウザを操作したユーザーは、結果のWebページが表示されるのを目にすることになります。

PHPと他の言語の違い

アプリケーション開発の現場では、PHPの他にもたくさんのプログラミング言語が使われています。有名なものには、Java、JavaScript、Python、Ruby、C#といったものがあります。PHPを学ぶにあたって、他のプログラミング言語との違いを知っておきましょう。他の言語と比べることによって、PHPの特徴を知ったうえで、学習を進めることができます。

PHPスクリプトが動く仕組み

最初に、PHPスクリプトが動く仕組みを確認しておきましょう。PHPスクリプトは、サーバサイドに配置します。ブラウザからWebサーバにリクエストが届くと、WebサーバはPHPスクリプトを実行して、実行結果をレスポンスとしてブラウザに返します。

PHPスクリプトには、何でも好きな処理を組み込むことができます。リクエストの内容に応じて、多種多様なレスポンスを返すことができます。また、サーバサイドにあるファイルやデータベースを操作することによって、複雑な機能を実現することも可能です。

Fig PHPの仕組み

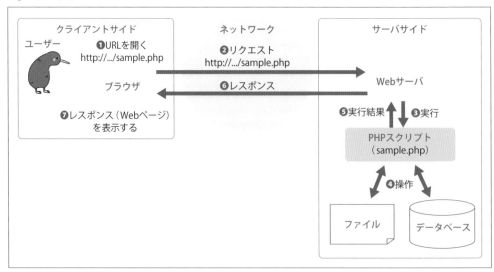

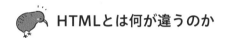

HTMLとは何が違うのか

HTMLはWebページを記述するための言語です。コンピュータで使われる言語の一種ですが、プログラミング言語ではなく、マークアップ言語と呼ばれるジャンルに分類されます。

HTMLファイルもサーバサイドに配置して使用します。ブラウザがWebサーバに対してHTMLファイルをリクエストすると、WebサーバはHTMLファイルの内容をレスポンスとしてブラウザに返します。

リクエストに応じて実行結果を変化させることができるプログラムとは違い、リクエストに応じてHTMLファイルの内容を変化させることはできません。そのためHTMLファイルは、内容が変化しないWebページを記述するのに向いています。

Fig HTMLの仕組み

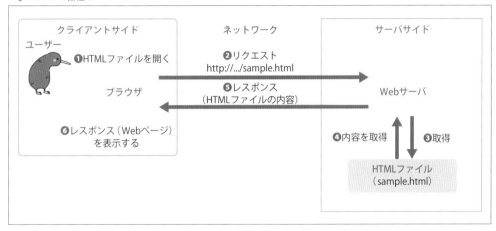

固定内容のWebページを表示する場合は、HTMLファイルを使用します。HTMLファイルではできない、リクエスト内容に応じて変化する処理を行うためには、PHPスクリプトを利用します。

JavaScriptとの比較

JavaScriptは主にブラウザ上で動作するプログラミング言語です。HTMLと組み合わせて、Webページを記述するために使用されます。

JavaScriptのプログラムは、HTMLファイルのなかに<script>タグを使って記述します。前述のように、HTMLファイルはサーバサイドに配置します。ブラウザがWebサーバに対してHTMLファイルをリクエストすると、WebサーバはHTMLファイルをそのままレスポンスとしてブラウザに返します。

ブラウザは<script>タグのなかにあるJavaScriptのプログラムを、クライアントサイドで実行します。サーバサイドで実行するPHPとは違い、サーバサイドにあるファイルやデータベースを操作するよりも、ブラウザ内ですむ処理を行うことが得意です。例えば、動きのあるメニューやボタンといったユーザーインタフェースを実現するために、JavaScriptはよく利用されます。

Fig　JavaScriptの仕組み

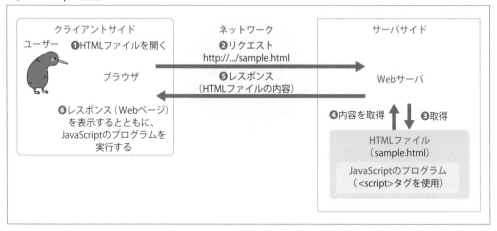

　動きのあるユーザーインタフェースを作成するときはJavaScriptを使い、データベースやファイルを操作する場合はPHPを使います。得意分野が異なるので、両者を併用する場合もあります。

Java（サーブレット/JSP）との比較

　Javaはクライアントサイドとサーバサイドの両方に対応したプログラミング言語です。PHPと同様に、Webアプリケーションを実現することができます。JavaでWebアプリケーションを実現するために、サーブレットやJSPといった仕組みが提供されています。

　Javaを使って記述したサーブレットやJSPは、サーバサイドに配置します。ブラウザがWebサーバに対して、サーブレットやJSPに対応したURLをリクエストすると、WebサーバはサーブレットやJSPを実行し、実行結果をレスポンスとしてブラウザに返します。

　サーブレットやJSPはサーバサイドで実行されるプログラムです。したがってPHPと同様に、サーバサイドにあるファイルやデータベースを操作することができます。PHPがJavaに対して有利な点は、同様の処理を行うプログラムをJavaよりも簡潔に記述できることです。実用的なプログラムが書けるようになるまでに必要な学習の時間も、Javaよりも短くてすむように思います。

　なお、図ではJSPの場合を示しました。サーブレットの場合にはURLの表記方法が変わりますが、動作の仕組みは同様です。

Fig　Java（JSP）の仕組み

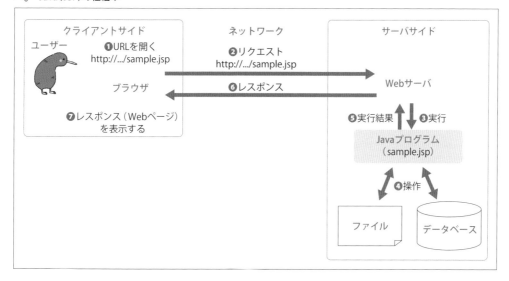

では、何を学べばいいのか

　本書では、PHPに関して以下のような事柄を学びます。「HTMLを書いたことはあるが、プログラミングは初めて」といった段階から始めて、「PHPで実用的なWebアプリケーションが作成できる」という段階を目指します。

♦ PHPスクリプトの動かし方

　PHPスクリプトを動かすための環境を作成し、簡単なPHPスクリプトを記述して、動作させる方法を学びます。

♦ PHPの基礎構文

　簡単なPHPスクリプトを作成しながら、PHPの文法を学びます。また、PHPが提供する各種の機能について学びます。

♦ Webページ上のコントロールとの連携

　テキストボックスやセレクトボックスといった、Webページ上のコントロールを作成したり、コントロールに対するユーザーの入力を処理する方法について学びます。

♦ データベースの操作

　本格的なWebアプリケーションの開発に欠かせない、データベースの基礎知識と、PHPから

データベースを操作する方法を学びます。

♦ 実用的なWebアプリケーションの作成方法

Webアプリケーションの例として、ユーザー認証やカートの機能を備えた、ショッピングサイトを作成します。

♦ Webアプリケーションの公開

PHPで開発したWebアプリケーションを公開するために、サーバの構築やスクリプトの設置を行う方法を学びます。

 ## 本書の対象読者

本書は、次のような方におすすめします。

▶ **PHPを学習したい方**

▶ **ショッピングサイトなど、ビジネス向けのWebサイトを作成したい方**

▶ **Web上のデータベースの操作方法を知りたい方**

本書では、初めてプログラミングに取り組む方でも挫折することなく読み進められるように、できるだけやさしく解説することを心がけました。実際に動作を確認できるサンプルを提示していきますので、まずはサンプルを実行して、どのような処理が行われるのかを体験してから、解説を読み進めてみてください。

📢 本書をスムーズに理解するために

本書を読み進める際には、ぜひ掲載したサンプルスクリプトの全ての行に軽く目を通して、使われている機能について理解ができているかどうかを確かめてみてください。重要な機能については、複数のサンプルで繰り返し使っています。機能を習得するには、最初にその機能が出てきたときに解説を理解することと、2回目以降にその機能が出てきたときに、理解を確認することが効果的です。もし理解が不十分だと感じたら、最初のサンプルに戻って、解説を読んでみてください。

1-4 サンプルデータのダウンロード

　本書に掲載するPHPスクリプトなどのサンプルデータは、以下のダウンロードページからダウンロードしてください。サンプルデータには、本書で作成するPHPスクリプトと、PHPスクリプトから利用する画像ファイル、データベースを構築するためのSQLスクリプトなどが含まれています。

▶ ダウンロードページ
`URL` https://www.sbcr.jp/support/4815610104/

　サンプルデータはZIPファイルに圧縮してあります。サンプルデータの構成は以下の通りです。

Fig　サンプルデータの構成

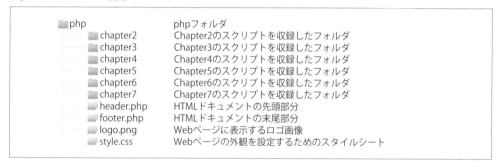

📁php	phpフォルダ
📁chapter2	Chapter2のスクリプトを収録したフォルダ
📁chapter3	Chapter3のスクリプトを収録したフォルダ
📁chapter4	Chapter4のスクリプトを収録したフォルダ
📁chapter5	Chapter5のスクリプトを収録したフォルダ
📁chapter6	Chapter6のスクリプトを収録したフォルダ
📁chapter7	Chapter7のスクリプトを収録したフォルダ
📄header.php	HTMLドキュメントの先頭部分
📄footer.php	HTMLドキュメントの末尾部分
📄logo.png	Webページに表示するロゴ画像
📄style.css	Webページの外観を設定するためのスタイルシート

　サンプルデータを使用するためには、Chapter2の手順に従って、XAMPP/MAMPのいずれかをインストールしてください。その後、サンプルデータのZIPファイルを展開して、phpフォルダをXAMPP/MAMPのhtdocsフォルダ以下にコピーしてください。

📢 プログラミングの学習方法

　プログラミングというのは、ブロックを使って作品を作るのに似ています。ブロックと同じように、プログラミングにおいて使える部品は決まっています。決まった部品をいかに組み合わせて、目的の作品を構築するのかを考えるのが、プログラミングです。

　プログラミングの能力を身につけるには、既存のスクリプトを暗記したり、既存のスクリプトを貼り合わせて使ったりするのは、おすすめしません。汎用性が高い基本的な部品、例えばPHPの構文などについて、記法や用途を確実に理解することと、部品を使って作品を構築するトレーニングを積むことを、本書ではおすすめします。

　本書を利用してプログラミングを効果的に学ぶための、おすすめの方法をご紹介します。

● サンプルスクリプトを動かす（または掲載した実行結果を確認する）

　サンプルで使っている部品が、どんな機能の実現に役立つのかを把握するために、まずはサンプルを動かしてみてください。サンプルに対していろいろな操作をしたときに、スクリプトがどのような挙動をするのかを観察してみてください。

● 部品の記法や用途を学ぶ

　サンプルで使っている部品について、解説を読み、記法を学んでください。そして、サンプルがどんな機能を実現していたのかを思い出しながら、部品の用途を理解してください。

● 部品を使ってみる

　部品を使って自分でスクリプトを書いてみてください。最初は部品を単体で使うことから始め、次は複数の部品を組み合わせて、何か機能を実現してみてください。サンプルに似た機能を実現するのも、解説を読んでいるうちに自分が思いついた機能を実現するのもおすすめです。

Chapter 1 のまとめ

　本章ではPHPの特徴について学びました。PHPはWebアプリケーションを容易に構築できるプログラミング言語です。サーバサイドで動作し、サーバサイドのファイルやデータベースを操作することができます。PHPを学べば、ショッピングサイトやSNSサイトといった、インターネット上で広く使われているWebアプリケーションを構築することが可能になります。

Chapter2

環境構築と動作確認

本章では開発環境をインストールして、PHPの学習がスタートできるように準備します。
PHPの開発環境はいろいろありますが、本書ではXAMPP/MAMPを使います。XAMPP/
MAMPはPHPに加えて、WebサーバのApacheや、データベース管理システムのMariaDB/
MySQLも一括して導入することができるパッケージです。開発環境をインストールしたら、
簡単なPHPスクリプトを入力して、実行してみます。PHPのファイルを配置する場所や、編
集の方法、実行の方法について学びます。

2-1

PHPを動かすためのツールを用意する

PHPスクリプトの作成に必要な開発環境として、本書ではインターネットから無料で入手することができる、**XAMPP**（ザンプ）または**MAMP**（マンプ）を使います。XAMPP/MAMPの利点は、PHPの開発に必要なソフトウェアを、一括して簡単に導入できることです。

 クライアントサイドだけでPHPを動かす

Chapter1で解説しましたが、PHPスクリプトを動かすためには本来、クライアントサイド（のコンピュータ）とサーバサイド（のコンピュータ）が必要となります。しかし、XAMPP/MAMPを利用することで、ネットワークを介してサーバと通信したり、サーバにファイルを転送したりすることなく、現在使用しているコンピュータだけで開発が行えます。XAMPP/MAMPをインストールすれば、Webサーバやデータベース管理システムなど、Webアプリケーションの開発に必要なソフトウェアの一式が、全て手元にあるコンピュータで動きます。

次の図のように、PHPスクリプトの実行に必要なWebサーバやデータベース、ファイルが全て手元のコンピュータ1台に収まります。そのため、サーバサイドを用意するために、レンタルサーバやクラウドサービスなどを契約して・・・、という必要がなくなるのです。

Fig　XAMPP/MAMPの構成

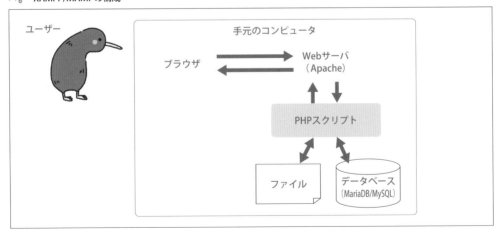

XAMPP/MAMPに含まれるソフトウェア

XAMPP/MAMPは以下のソフトウェアを含みます。XAMPP/MAMPをインストールすることで、これらのソフトウェアを利用する準備が整います。

♦ Apache

広く使用されているWebサーバです。

♦ MariaDB/MySQL

データベース管理システムです。MariaDBは、広く使用されているMySQLから派生した製品です。データベースについては、Chapter6で詳しく解説します。

♦ PHP

PHPで開発を行うために必要な環境（ツール）です。

♦ Perl

Perlというプログラミング言語で開発を行うために必要な環境です。本書では利用しませんが、Perlを使ってWebアプリケーションを開発することもできます。

XAMPPという名前は、複数の環境に対応したクロスプラットフォームであることと、含んでいるソフトウェアの頭文字に由来しています。XAMPPは「X：クロスプラットフォーム」「A：Apache」「M：MariaDB/MySQL」「P：PHP」「P：Perl」を意味します。一方、MAMPは「M：macOS」「A：Apache」「M：MariaDB/MySQL」「P：PHP/Perl/Python」を意味します。

XAMPPはWindows/macOS/Linuxに対応し、MAMPはWindows/macOSに対応します。Apple製のCPU（M1/M2など）を搭載したMacに関しては、XAMPPが正常に動作しないことがあるので、本書ではMAMPも紹介します。Windowsの場合はXAMPPを、macOSの場合はMAMPをお使いください。

📣 LAMP

XAMPP/MAMPに類似する言葉として、LAMP（ランプ）という言葉もよく使われます。LAMPはWebサイトを構築するためによく使われるソフトウェア群を指す言葉です。LAMPの各文字は、「L：Linux」「A：Apache」「M：MySQL」「P：PHP/Perl/Python」を意味します。なお、XAMPPは元はLAMPPと呼ばれていましたが、Linux以外にも対応したため、XAMPPと改称されました。

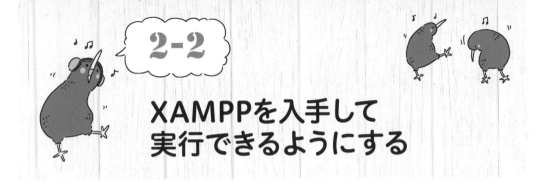

2-2

XAMPPを入手して
実行できるようにする

　PHPのプログラミングを始めるために、XAMPPを入手して、手元のコンピュータにインストールしましょう。ここでは、XAMPPの機能を制御するためのXAMPPコントロールパネルを表示して、WebサーバのApacheを起動することが目標です。

　Windowsの場合は、この項目でXAMPPをインストールしてください。macOSの場合は次の項目に進み、MAMPをインストールしてください。

XAMPPのダウンロード

　XAMPPはApache Friendsが提供している無償のソフトウェアパッケージです。以下のURLをブラウザで開いてください。本書ではブラウザはChromeを使用しています。

　▶ **XAMPPの公式サイト**
　　`URL` https://www.apachefriends.org/jp/

　本書では執筆時点（2022年7月）の最新版である、XAMPP for Windows 8.1.6をダウンロードしました。このバージョンに含まれているソフトウェアは以下の通りです。

　▶ **Apache 2.4.53**
　▶ **MariaDB 10.4.24**
　▶ **PHP 8.1.6**

Fig　XAMPPの公式サイト

　本書の執筆時点よりも新しいバージョンが公開されている場合には、最新版を入手してみてください。上記のページにおいて、［その他のバージョンについてはこちらをクリックしてください］というリンクを選択するか、以下のURLをブラウザで開くと、ダウンロード可能なファイルの一覧が表示されます。

　▶ **XAMPPのダウンロードページ**
　　URL　https://www.apachefriends.org/download.html

Fig　XAMPPのダウンロードページ

　本書の執筆時点では、PHPのバージョンが異なる「7.4.29」「8.0.19」「8.1.6」という3種類のバージョンが公開されていました。本書では「8.1.6」を選択しました。

 ## XAMPPのインストール

　ダウンロードが完了したら、XAMPPをインストールします。ダウンロードしたファイルをブラウザから開き、実行してください。その際に、ファイルの実行を確認するダイアログが出現することがありますが、実行を許可してください。

インストールファイルの実行

　ファイルを実行すると、bitnamiのロゴが表示された後に、QuestionやWarningというダイアログが表示されることがあります。これらは、ウイルス対策ソフトウェアを使用しているときの質問や、Windowsのユーザーアカウント制御（UAC）機能を有効にしているときの警告です。

　ウイルス対策に関しては、インストールが遅くなったり、インストールに支障が生ずる場合があると警告されます。［Yes］を選択してインストールを進めて、もし問題が生じたら、ウイルス対策ソフトウェアの動作を一時的に制限するなどの処置を行い、再度インストールします。

UACに関しては、XAMPPを「c:¥Program Files」にインストールしないように、もしくはUACを無効にするようにと指示されます。本書ではXAMPPを「c:¥xampp」にインストールすることで、問題を解決します。[OK]をクリックして先に進んでください。

Fig　UACに関する警告のダイアログ

🥝 インストールするソフトウェアの選択

[Setup - XAMPP]というダイアログが表示されます。[Next]ボタン❶を選択して、先に進んでください。

Fig　[Setup - XAMPP]ダイアログ

[Select Components]というダイアログが表示されます。ここではインストールするソフトウェアを選択します。最初は全てのソフトウェアが選択されています。このまま[Next]ボタン❷を選択して、先に進んでください。

Fig　[Select Components]ダイアログ

🥝 インストール先のフォルダの選択

[Installation folder]というダイアログが表示されます。入力欄がありますので、インストール先のドライブやフォルダを入力します。本書では「c:¥xampp」にインストールするので、[Select a folder]の右にある入力欄❶に「c:¥xampp」と入力して、[Next]ボタン❷を選択してください。「c:¥xampp」以外にインストールすることも可能ですが、その場合には本書で「c:¥xampp」と記載した部分を、インストール先のフォルダに置き換えてください。

Fig [Installation folder]ダイアログ

[Language]というダイアログが表示されます。ここではXAMPPの言語を英語またはドイツ語から選ぶことができます。本書では初期設定の英語（English）を使います。このまま[Next]ボタン❸を選択してください。

Fig [Language]ダイアログ

🥝 インストールの実行

　[Bitnami for XAMPP]というダイアログが表示されます。XAMPPと一緒に利用できるソフトウェアのインストーラを紹介するダイアログです。ここでは簡単に先に進むために、[Learn more about Bitnami for XAMPP]のチェック❶を外してから、[Next]ボタン❷を選択してください。

Fig　[Bitnami for XAMPP]ダイアログ

　[Ready to Install]というダイアログが表示されます。インストールの準備が整ったということなので、[Next]ボタン❸を選択して先に進んでください。

Fig　[Ready to Install]ダイアログ

　[Welcome to XAMPP!]というダイアログが表示されます。ファイルの展開に多少の時間がかかるので、終了するまで待ちましょう。インストールの途中で、コマンドプロンプト（黒い背景に白い文字が表示されたウィンドウ）が表示される場合がありますが、特に操作は必要ありません。
　インストールが完了すると、[Completing the XAMPP Setup Wizard]というダイアログが表示されます。[Do you want to start the Control Panel now?]のチェック❹は、XAMPPの制御を行うためのXAMPPコントロールパネルをすぐに開くかどうかを尋ねています。ここではチェックを入れたままで、[Finish]ボタン❺を選択してください。

Fig ［Welcome to XAMPP!］ダイアログ

Fig ［Completing the XAMPP Setup Wizard］ダイアログ

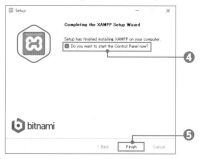

XAMPPコントロールパネルの起動

　XAMPPのインストールが完了すると、XAMPPコントロールパネルが起動します。もし起動しない場合には手動で起動してください。Windows 11/10の場合、スタートメニューを開き、キーボードから「xampp」と入力すると❶、「XAMPP Control Panel」が検索結果に表示されます❷。「XAMPP Control Panel」を選択すると、XAMPPコントロールパネルが起動します。

Fig 「XAMPP Control Panel」の検索

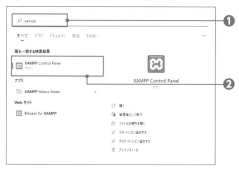

XAMPPコントロールパネルが起動すると、［Module］の欄に、ApacheやMySQLといったソフトウェアの名前が並んでいます。ソフトウェア名の右側にある［Start］ボタンで、各ソフトウェアを起動することができます。

Fig　XAMPPコントロールパネル

Apacheの起動

　XAMPPを使ってPHPスクリプトを動かすためには、WebサーバとしてApacheを用います。ブラウザからApacheに対してリクエストを送ると、Apacheが対応するPHPスクリプトを実行して、結果をブラウザに送り返してくれます（p.10）。ApacheはXAMPPと一緒にインストールされるので、すぐに起動して利用することができます。

　XAMPPコントロールパネルからApacheを起動してみましょう。Apacheの右にある［Start］ボタン❶を選択してください。

　Apacheの起動時に、Windowsまたは何らかのセキュリティ対策ソフトウェアがファイアウォールに関する警告ダイアログを表示する場合があります。この場合には、「アクセスを許可する」や「ブロックを解除する」などを選択して、Apacheによるネットワークの操作を許可してください。

Fig　Apacheの［Start］ボタン

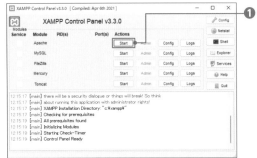

Apacheの名前の背景が緑色に変化して、［PID（s）］や［Port（s）］の欄に数値が表示されたら、Apacheが無事起動したということです。

　PID（s）は、動作しているApacheのプログラムをWindows上で識別するためのIDです。Port（s）は、Apacheが通信に使うポートの番号です。ポートとは通信の出入り口のことで、複数のポートを識別するために番号が付いています。

Fig　Apacheを開始した状態

　　Apacheの起動の確認

　ブラウザを使って、Apacheが起動したことを確認してみましょう。ブラウザで以下のURLを開きます。

実行　http://localhost/

　localhostというのは、ブラウザが動作しているコンピュータ（現在操作しているコンピュータ）を指します。現在の状態では、Apacheはブラウザと同じコンピュータ上で動作しているので、localhostを指定することで、XAMPPのApacheをWebサーバとして利用することができます。

　上記のURLを開くと、以下のWebページへ移動して、XAMPPの紹介ページが開きます。

http://localhost/dashboard/

　もし正しくWebページが表示されない場合には、XAMPPコントロールパネルに戻って、Apacheが起動していることを確認してください。Apacheが起動しているのに上記のWebページが表示されない場合には、一度［Stop］ボタンを選択してApacheを停止し、再び［Start］ボタンを選択して起動してみてください。

　本書では今後、Apacheをずっと使いますので、Apacheは起動したままにしておいてください。
もし停止したいときには、[Stop]ボタンを選択してください。再びApacheを使用するときには、
[Start]ボタンを選択して起動してください。

覚えておこう！

　　　Apacheは起動したままにしておきましょう。

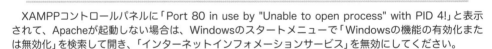

Apacheが正常に起動しない場合の対処

　XAMPPコントロールパネルに「Port 80 in use by "Unable to open process" with PID 4!」と表示
されて、Apacheが起動しない場合は、Windowsのスタートメニューで「Windowsの機能の有効化また
は無効化」を検索して開き、「インターネットインフォメーションサービス」を無効にしてください。

XAMPPが正常に終了しない場合の対処

　XAMPPコントロールパネルの終了時に「Error: Cannot create file "C:¥xampp¥xampp-control.
ini".」というダイアログが表示される場合は、Windowsのエクスプローラで「c:¥xampp¥xampp-contol.
ini」のプロパティを開き、「セキュリティ」で「Everyone」に対する「書き込み」を許可してください。

MAMPを入手して実行できるようにする

macOSをお使いの方は、MAMPを入手して、手元のコンピュータにインストールしてください。MAMPを使ってWebサーバのApacheを起動し、Webページを表示することが目標です。Windowsをお使いの方は、次の項目に進んでください。

 ## MAMPのダウンロード

MAMPはMAMP社が提供している無償のソフトウェアパッケージです。以下のURLをブラウザで開いてください。本書ではブラウザはChromeを使用しています。

▶ **MAMPのダウンロードページ**
  `URL` https://www.mamp.info/en/downloads/

Fig　MAMPのダウンロードページ

Macに搭載されているCPUの種類に応じて、Intel（インテル製CPU用）またはM1（Apple製CPU用）を選択してください。本書では執筆時点（2022年7月）の最新版である、MAMP & MAMP PRO 6.6（M1）をダウンロードしました。このバージョンに含まれているソフトウェアは以下の通りです。より新しいバージョンが公開されている場合には、最新版を入手してみてください。

- ▶ Apache 2.4.46
- ▶ MySQL 5.7.34
- ▶ PHP 8.0.8

　MAMPをダウンロードしようとすると、画面に他の製品の紹介が表示されることがあります。本書の執筆時点では「NAMO DNS App」の紹介が表示されましたが、特に何も操作をしなくても、間もなくMAMPのダウンロードが始まりました。

MAMPのインストール

　ダウンロードが完了したら、MAMPをインストールします。ダウンロードしたファイルを開き、実行してください。無償版のMAMPと有償版のMAMP PROが同時にインストールされますが、本書では無償版のMAMPを使います。

 使用許諾契約の確認

　[はじめに]というダイアログが表示されます。[続ける]ボタン❶を選択して、先に進んでください。

Fig　[はじめに]ダイアログ

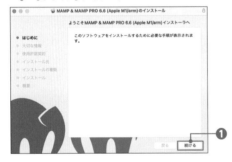

　[大切な情報]というダイアログが表示されます。内容を確認し、[続ける]ボタン❷を選択して、先に進んでください。英語で記述されているので、必要ならばWebの翻訳ツールなどを使って、日本語に翻訳してもよいでしょう。

Fig ［大切な情報］ダイアログ

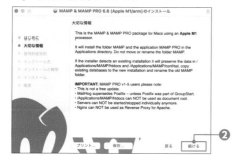

　［使用許諾契約］というダイアログが表示されます。内容を確認し、［Continue］ボタン❸を選択して、先に進んでください。

Fig ［使用許諾契約］ダイアログ

　使用許諾契約に同意する場合には、［Agree］ボタン❹を選択して、先に進んでください。

Fig 使用許諾契約への同意

🥝 インストールの実行

　[インストールの種類] というダイアログが表示されます。インストールを実行する場合は、[インストール] ボタン❶を選択して、先に進んでください。パスワードの入力を求められたら、Macのパスワードを入力してください。

Fig　[インストールの種類] ダイアログ

　[インストール] というダイアログが表示されます。インストールが終了するまで、しばらく待ちます。

Fig　[インストール] ダイアログ

　インストールが完了したら、[閉じる] ボタン❷を選択して、インストーラを終了します。

Fig　インストールの完了

MAMPの起動

　MAMPを起動しましょう。[command]＋スペースキー（[command]キーとスペースキーの同時押し）を入力して、Spotlight検索を起動します。「mamp」❶と入力し、表示された「MAMP」❷を実行してください。

Fig　「MAMP」の検索と起動

　MAMPが起動します。この画面では、起動するWebサーバの種類（ApacheまたはNginx）や、PHPのバージョン（本書では8.0.8を使用）を選択できます。初めて起動したときには、ポート番号を設定するために、[Preferences]ボタン❸を選択してください。ポートとは通信の出入り口のことで、複数のポートを識別するために番号が付いています。

Fig　MAMP

🥝 ポート番号の設定

[Ports] ボタン❶を選択して、ポート番号の設定を表示します。Apacheのポート番号は、デフォルトでは「8888」ですが、本書では「80」に変更します。ポート番号を80にすると、ブラウザでURLを入力する際に、ポート番号の入力を省略できます。[80 & 3306] ボタン❷を選択してください。

Fig　変更前のポート番号

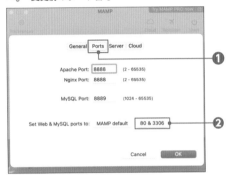

Apacheのポート番号❸が80に変化すれば成功です。[MAMP default] ボタンを選択すれば、デフォルトのポート番号に戻せます。ここでは [OK] ボタン❹を選択してください。

Fig　変更後のポート番号

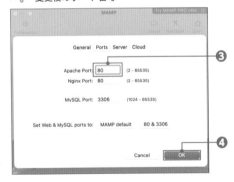

🥝 Apacheの起動

MAMPを使ってPHPスクリプトを動かすためには、WebサーバとしてApacheを用います。ブラウザからApacheに対してリクエストを送ると、Apacheが対応するPHPスクリプトを実行して、結果をブラウザに送り返してくれます (p.10)。ApacheはMAMPと一緒にインストールされるので、すぐに起動して利用できます。

MAMPからApacheを起動してみましょう。[Start] ボタン❶を選択してください。起動の際に、Macのパスワードの入力を求められる場合があります。その場合は、パスワードを入力して、先に進めてください。

Fig　サーバの開始

Apacheの起動に成功すると、[Start] ボタンが [Stop] ボタン❷に変化します。Apacheを停止する場合は、[Stop] ボタンを選択してください。

Fig　サーバを開始した状態

Apacheの起動の確認

ブラウザを使って、Apacheが起動したことを確認してみましょう。ブラウザで以下のURLを開きます。

実行　http://localhost/

localhostというのは、ブラウザが動作しているコンピュータ（現在操作しているコンピュータ）を指します。現在の状態では、Apacheはブラウザと同じコンピュータ上で動作しているので、

localhostを指定することで、MAMPのApacheをWebサーバとして利用できます。

　以下のような「Welcome to MAMP」または「Index of /」というWebページが表示されれば成功です。もし正しく表示されない場合には、MAMPに戻って、Apacheが起動していることを確認してください。Apacheが起動しているのにWebページが表示されない場合には、一度［Stop］ボタンを選択してApacheを停止し、再び［Start］ボタンを選択して起動してみてください。

Fig　「Welcome to MAMP」のWebページ

Fig　「Index of /」のWebページ

　本書では今後、Apacheをずっと使いますので、Apacheは起動したままにしておいてください。もし停止したいときには、［Stop］ボタンを選択してください。再びApacheを使用するときには、［Start］ボタンを選択して起動してください。

PHPスクリプトを動かしてみる

インストールしたXAMPP/MAMPを使って、PHPスクリプトを動かしてみましょう。本書のサンプルデータから、ブラウザの画面上に「Welcome」とメッセージを表示するスクリプトを実行します。さらに、スクリプトをテキストエディタで編集する方法も学びます。本書では主にWindowsでXAMPPを使う方法を紹介しますが、macOSでMAMPを使う方法についても、ポイントを随時解説します。

サンプルのPHPスクリプトの準備

本書のダウンロードページ（p.15）から、サンプルデータをダウンロードしてください。サンプルデータは「php_sample.zip」というZIPファイルに圧縮してあります。php_sample.zipを展開して、php_sampleフォルダ内の、phpフォルダを選択してください。

［Ctrl］＋［C］キーを押すか、右クリックメニューで［コピー］を選択して、phpフォルダをコピーします。

Fig　phpフォルダ

php_sample			
⊕ 新規作成 ∨　✂　□　□　□　🗑　↑↓ 並べ替え ∨　☰ 表示 ∨　⋯			
← → ∨ ↑ □ > php_sample			
名前 ^	更新日時	種類	サイズ
□ php	2022/08/04 19:15	ファイル フォルダー	

エクスプローラでc:¥xampp¥htdocsフォルダを開いてください。Cドライブのxamppフォルダのなかの、htdocsフォルダです。XAMPPでは、このhtdocsフォルダ以下にPHPスクリプトやHTMLファイルを配置します。

c:¥xampp¥htdocsフォルダを開いたら、［Ctrl］＋［V］キーを押すか、右クリックメニューで［貼り付け］を選択して、先ほどコピーしたphpフォルダを貼り付けます。

貼り付けが完了すると、「c:¥xampp¥htdocs」以下に「php」フォルダが出現します。

Fig　c:¥xampp¥htdocsフォルダ

Fig　c:¥xampp¥htdocs以下のphpフォルダ

サンプルの「php」フォルダ
をコピーする

覚えておこう！

スクリプトは「c:¥xam
pp¥htdocs」フォルダ
の下に配置しましょう。

macOSの場合

　macOSの場合は、アプリケーション（Applications）フォルダ以下にあるMAMP/htdocsフォルダに
コピーします。

サンプルデータの構造

　phpフォルダのなかには、本書の各章で作成するPHPスクリプトや、PHPスクリプトから利用
する画像ファイル、Webページの外観を設定するためのスタイルシート、データベースを作成す
るためのSQLスクリプトなどが含まれています。

　展開後のphpフォルダには、次のようなフォルダならびにファイルが保存されています。

Table　phpフォルダの構成

フォルダ・ファイル	内容
chapter2	Chapter2のスクリプトを収録したフォルダ
chapter3	Chapter3のスクリプトを収録したフォルダ
chapter4	Chapter4のスクリプトを収録したフォルダ
chapter5	Chapter5のスクリプトを収録したフォルダ
chapter6	Chapter6のスクリプトを収録したフォルダ
chapter7	Chapter7のスクリプトを収録したフォルダ
header.php	HTMLドキュメントの先頭部分
footer.php	HTMLドキュメントの末尾部分
style.css	Webページの外観を設定するためのスタイルシート
logo.png	Webページに表示するロゴの画像

　chapter2フォルダには、ここで使用するサンプルスクリプト「welcome.php」が収録されています。このように本書では、章ごとにフォルダを用意して、そのなかに本文内で解説するサンプルスクリプトを収録しています。サンプルスクリプトを確認する際には、該当する章のフォルダを開いてください。

Fig　chapter2フォルダ

拡張子を表示する

　Windowsでは、「.php」や「.css」や「.sql」といった拡張子を表示するのがおすすめです。Windows 11/10の場合には、エクスプローラの[表示]を選択し、[ファイル名拡張子]をチェックします。

 ## 最初のPHPスクリプトの実行

　PHPスクリプトを実行してみましょう。最初のPHPスクリプトは、chapter2フォルダ以下にあるwelcome.phpです。Apacheが起動した状態で、ブラウザで以下のURLを開いてください。

実行 http://localhost/php/chapter2/welcome.php

　このようにURLを指定することで、Apache（Webサーバ）は、以下のPHPスクリプトを実行し、実行結果をブラウザに送ります。

c:¥xampp¥htdocs¥php¥chapter2¥welcome.php

　XAMPPが起動した状態で「http://localhost/フォルダ名/ファイル名」のようにURLを入力することで、「c:¥xampp¥htdocs¥フォルダ名¥ファイル名」が指定されます。以後、サンプルスクリプトを実行する際には、このようにURLを指定していきますので、「http://localhost」と「c:¥xampp¥htdocs」の関係は覚えておいてください。

 覚えておこう！

　PHPスクリプトを実行するときは、スクリプトのURLを指定します。

 macOSの場合

　macOSの場合も、入力するURLはWindowsと同じです。「http://localhost/フォルダ名/ファイル名」が、「/Applications/MAMP/htdocs/フォルダ名/ファイル名」に対応します。

 実行結果の表示

　サンプルスクリプトを実行すると、ブラウザは実行結果として「Welcome」というメッセージを画面に表示します。

Fig　welcome.phpの実行結果

メッセージが表示されない場合

　メッセージが正しく表示されない場合は、Apacheが起動しているかどうかをXAMPP（p.28）またはMAMP（p.34）で確認してください。Apacheが起動していない場合には、ブラウザに以下のようなメッセージが表示されます。この表示はChromeの場合で、他のブラウザでは表示が異なる場合があります。

Fig　Apacheが起動していない場合

　Apacheが起動していても、展開先のフォルダが違っているなど、サンプルデータが適切に展開されていない場合には、ブラウザに以下のようなメッセージが表示されます。この場合は、p.37の手順に従って、サンプルデータを適切なフォルダに展開してください。

Fig　welcome.phpが適切に配置されていない場合

 ## PHPスクリプトの編集

　ここでは、PHPスクリプトを編集する方法を紹介します。
　先ほど実行したwelcome.phpの内容を少しだけ変更してみます。ここで学習するのは、テキストエディタでPHPスクリプトを編集する方法と、編集したPHPスクリプトを実行する方法です。

🐦 テキストエディタの用意

まずはテキストエディタを用意してください。Windowsの場合には、標準で付属する「メモ帳」を使用することもできます。他にもテキストエディタは数多くありますが、例えば「Visual Studio Code」「TeraPad」「秀丸」といったテキストエディタが使用できます。

テキストエディタを選ぶときには、ファイルの保存時に文字コードとしてUTF-8が指定できるテキストエディタを選択してください。文字コードとは、コンピュータの内部で文字を数値で表現する方法のことです。文字コードには複数の種類があります。本書ではUTF-8という文字コード（文字エンコーディング）を使用します。macOSでは、標準の「テキストエディット」、標準以外では「mi」などが使用できます。Linuxの場合には「vi（vim）」や「Emacs」などが使えます。

文字コードについては、Chapter3（p.57）でも詳しく解説します。

🐦 スクリプトの変更

PHPスクリプトを編集してみましょう。テキストエディタで以下のファイルを開いて、welcome.phpの内容を確認してください。

Windows　c:¥xampp¥htdocs¥php¥chapter2¥welcome.php

macOS　　/Applications/MAMP/htdocs/php/chapter2/welcome.php

Fig　「メモ帳」でwelcome.phpを開いたところ

Windowsの場合は、エクスプローラで上記のファイルをダブルクリックすると開くことができます。初めて拡張子が「.php」のファイルを開いたとき、Windowsでは「このファイルを開く方法を選んでください」というダイアログが表示されます。[その他のアプリ]を選択した後に、例えば「メモ帳」などのテキストエディタを選択してください。以後は、エクスプローラで「.php」ファイルを開くと、選択したテキストエディタが自動的に開きます。

編集前のPHPスクリプトwelcome.phpは、以下のような内容です。

welcome.php（編集前）　　　　　　　　　　　　　　　　　　　　　　　　　`PHP`

```php
<?php
echo 'Welcome';
?>
```

　welcome.phpの内容を、以下のように書き換えてみてください。書き換えの方法は通常のテキスト文書の場合と同様です。書き換えた部分を赤字で示してあります。

welcome.php（編集後）　　　　　　　　　　　　　　　　　　　　　　　　　`PHP`

```php
<?php
echo 'Welcome to PHP';
?>
```

覚えておこう！

　　スクリプトの英字・数字・記号は半角文字で入力しましょう。

PHPスクリプトの保存

　書き換えたら、上書き保存してください。メモ帳の場合には、［ファイル］メニューの［上書き保存］を選択するか、キーボードで［Ctrl］＋［S］キーを押します。

　ファイルに名前を付けて保存する場合には、文字コード（文字エンコーディング）をUTF-8にしてください。メモ帳の場合には、［名前を付けて保存］ダイアログで、文字コードを選択することができます。［エンコード］欄でUTF-8を選択してください。

Fig　メモ帳でwelcome.phpを保存する

文字コードを「UTF-8」にして
保存する

welcome.phpはUTF-8以外でも大丈夫なのですが、UTF-8による保存に慣れていただくために、UTF-8を使います。

 覚えておこう！

PHPスクリプトを保存するときは、文字コード(文字エンコーディング)をUTF-8に設定します。

保存したPHPスクリプトの実行

編集したwelcome.phpを実行してみましょう。p.39と同様に、ブラウザで以下のURLを開いてください。もし既に開いている場合には、ブラウザでページを更新してください。

実行 http://localhost/php/chapter2/welcome.php

実行すると、ブラウザは「Welcome to PHP」というメッセージを表示します。ここでは、ブラウザに表示されるメッセージの内容を変更しました。PHPスクリプトでメッセージを表示するための処理については、Chapter3で詳しく解説します。

何度かメッセージを書き換えて、PHPスクリプトを編集して実行する操作に慣れてみてください。表示するメッセージは、日本語でも大丈夫です。

Fig 編集したwelcome.phpの実行結果

Chapter 2 の **まとめ**

本章ではPHPスクリプトを開発するための環境を整備しました。XAMPP/MAMPをインストールし、サンプルデータを展開して、テキストエディタを用意しました。サンプルのスクリプトを実行したり、編集したりする方法も学びました。次章では、スクリプトの内容を理解し、意図した通りのスクリプトを記述するために、PHPの文法を学びます。

Chapter 3

最初のPHPプログラミング

本章ではサンプルのスクリプトを動かしながら、PHPの基本的な文法を学んでいきます。メッセージを英語や日本語で表示するスクリプトや、ユーザーの入力を取得して表示や計算を行うスクリプトを作成します。いずれも小振りで簡単なスクリプトながら、より複雑な機能を実現するときに活用できる知識が詰まっています。

3-1

ブラウザの画面上に
メッセージを表示する

echo、print

画面にメッセージを表示するスクリプトを作りましょう。最初は英語で「Welcome」というメッセージ
を表示します。これはChapter2で環境構築の確認用に実行したスクリプトですが、本章ではスクリプ
トの内容についても学びます。

▼ここでやること

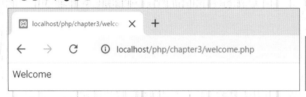

ブラウザの画面上にメッセージを表示
するPHPスクリプトを作成し、仕組み
を確認しましょう。

step 1 ブラウザにメッセージを表示させてみよう

Chapter2では、ブラウザ上に「Welcome」と表示するスクリプトを実行して、PHPの動作を確認
しました。ここでは、同じスクリプトをあらためて用意し、どのような仕組みでメッセージを表示
しているのかを確認していきます。

スクリプトの内容は以下の通りで、ファイルはchapter3¥welcome.phpです。Chapter3で紹
介するサンプルは、c:¥xampp¥htdocs¥phpフォルダ(macOSの場合は/Applications/
MAMP/htdocs/phpフォルダ)の下に、chapter3フォルダを作成して、そのなかに保存します
(p.37)。

List welcome.php `PHP`

```php
<?php
echo 'Welcome';
?>
```

XAMPP(p.26)またはMAMP(p.34)を使って、Apacheを起動しておいてください。このスク
リプトは、Chapter2と同様に、ブラウザで以下のURLを開いて実行します。

実行 http://localhost/php/chapter3/welcome.php

正しく実行できた場合には、ブラウザ上に「Welcome」と表示されます。

Fig　ブラウザ上にメッセージが表示される

 解　説

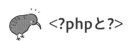 **<?phpと?>**

PHPスクリプトは、**<?php**から始まり、**?>**で終わります。これらはPHPタグと呼ばれます（p.7）。**<?php**は開始タグ、**?>**は終了タグと呼ばれ、その間にスクリプトで行う処理の内容を記述します。

書式　PHPタグとスクリプトの内容

```
<?php
PHPスクリプトの内容
?>
```

Step1のスクリプトには、最初の行に**<?php**があり、最後の行に**?>**があります。このスクリプトはPHPのみで書かれているため、スクリプトの開始や終了はわざわざ示さなくてもよいようにも思います。

実は、スクリプトを**<?phpと?>**で囲んでおく方式は、HTMLとPHPが混在しているときに活躍します。HTMLとPHPが混在しているとき、HTMLの部分はそのまま出力されます。スクリプトの多くは結果をHTMLとしてWebページ上に出力するので（p.9）、HTMLの部分がそのまま出力されるのが好都合なのです。

以下はHTMLとPHPが混在している例です。

Fig　HTMLとPHPの混在

PHPがスクリプトを正しく実行するには、プログラマがHTMLとPHPの区分を明確に知らせる必要があります。<?phpと?>でPHPスクリプトを囲むことによって、区分を明確に伝えることができます。以降のスクリプトでも、<?phpと?>で囲まれた部分がPHPで実行する処理だということを覚えておいてください。

覚えておこう！

PHPは<?phpと?>で囲まれた部分の処理を行います。

---

 echo

echoはメッセージを出力する際に使用するPHPの命令です。Step1のスクリプトでは、echoを使用して「Welcome」と出力しています。

```
echo 'Welcome';
```

echoの使い方は次の通りです。

書式 echo

```
echo 'メッセージ';
```

多くのブラウザは、スクリプトが出力したメッセージをレスポンス（p.4）として受け取って、そのまま表示します。スクリプトが「Welcome」を出力すると、ブラウザも「Welcome」を表示します。

echoはエコー、つまり反響や山びこを意味しています。メッセージを与えると、まるで山びこのように同じメッセージを出力してくる機能をechoと呼ぶことがあり、PHPもそれにならっています。ここでは英語を表示していますが、日本語や数値なども表示することができます。

 文字列とシングルクォート（'）

文字が複数並んだデータのことを文字列（もじれつ）と呼びます。一般に文字列は複数の文字から構成されていますが、0文字や1文字の文字列もあります。

PHPでは、「'」を使って単語や文章を囲むと文字列として扱われます。「'」はシングルクォートまたはシングルクォーテーションと呼びます。文字列は、メッセージを表示するときなどによく使い

ます。例えば、「Welcome」というメッセージの文字列は、'Welcome'のように記述します。

　なお、「'」のかわりに「"」を使用して、"Welcome"のように記述しても文字列を作ることができます。「"」はダブルクォート、またはダブルクォーテーションと呼びます。

　以下はシングルクォートのかわりにダブルクォートを使ったスクリプトです。ファイルはchapter3¥welcome2.phpです。最初のスクリプトからの変更点を赤字で示します。

 welcome2.php PHP

```php
<?php
echo "Welcome";
?>
```

　スクリプトを実行するには、ブラウザで以下のURLを開きます。

実行　http://localhost/php/chapter3/welcome2.php

　実行結果はシングルクォートの場合（p.47）と同じになります。シングルクォートとダブルクォートには細かな機能の違いがあります。本書では、機能がシンプルで高速なシングルクォートを中心に使用し、ダブルクォートは特に必要な場合だけ使用することにします。

 覚えておこう！

　「'」か「"」で囲んだデータは文字列として扱われます。

📢ダブルクォートの機能

　ダブルクォートを使った文字列には、タブや改行といった特別な文字を表すエスケープシーケンスという記法を処理したり、文字列内に記述した変数（p.78）の値を展開したり、といった機能があります。

 文とセミコロン（;）

以下の記述の末尾に、セミコロン（;）が付いていることに注目してください。

```php
echo 'Welcome';
```

セミコロンは、文の終わりを示すための記号です。この例では、echo 'Welcome';が1つの文になっています。

　スクリプトにおいて、文はひとまとまりの処理を表しています。1つのスクリプト内で複数の処理を行う場合は、処理ごとに文に分割して記述します。また、文が並んでいる場合には、上に書いてあるものから順に実行されます。

Fig　処理を文にまとめる

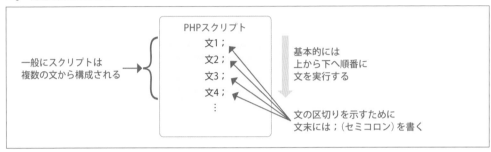

　Step1のスクリプトは、文が1つだけで構成されています。複数の文がある場合には、例えば次のようなスクリプトになります。

```
echo 'Welcome';
echo 'to';
echo 'PHP';
```

　上記のスクリプトの内容は、日本語で表現すると、以下の通りです。

Welcomeと表示する。

toと表示する。

PHPと表示する。

　日本語の文末に付いている「。」と、スクリプトの文末に付いている「;」は、ひとまとまりの部分を示すという点では働きが似ています。

覚えておこう！

　PHPスクリプトでは文の終わりに「;」を付けます。

エラーとは、スクリプトの文法上の誤りや、スクリプトの動作上の不具合のことです。エラーメッセージとは、エラーが発見されたときに、エラーを通知するために出力するメッセージのことです。

スクリプトにはエラーがつきものです。Step1のスクリプトのような、メッセージを表示するだけの簡単なものでも、エラーが発生することがあります。

そこで、わざとエラーを発生させるスクリプトを使って、エラーメッセージの読み方や、エラーの解決方法を学びましょう。以下のようなスクリプトを記述します。ファイルはchapter3¥welcome-error.phpです。Step1からの変更点を赤字で示します。

List welcome-error.php `PHP`

```php
<?php
echo Welcome;
?>
```

このスクリプトはStep1のwelcome.php (p.46)にそっくりですが、実行するとエラーメッセージが表示されます。スクリプトを実行するには、ブラウザで以下のURLを開きます。

実行 http://localhost/php/chapter3/welcome-error.php

実行すると、ブラウザの画面上にエラーメッセージが表示されます。

Fig エラーメッセージ

エラーメッセージを読み解く

実行したスクリプトに誤りがあった場合、間違いがどの辺りにありそうか、PHPがアドバイスをしてくれます。それがエラーメッセージです。今回のエラーメッセージは以下の通りです。環境によっては、以下の¥(円記号)は\(バックスラッシュ)で表示されます。

```
Fatal error: Uncaught Error: Undefined constant "Welcome"
in C:¥xampp¥htdocs¥php¥chapter3¥welcome-error.php:2
Stack trace: #0 {main}
thrown in C:¥xampp¥htdocs¥php¥chapter3¥welcome-error.php on line 2
```

メッセージの内容を翻訳すると、次の通りです。

致命的なエラー：キャッチされないエラー：未定義の定数「Welcome」
C:¥xampp¥htdocs¥php¥chapter3¥welcome-error.php：2行目
スタックトレース：#0 {メイン}
C:¥xampp¥htdocs¥php¥chapter3¥welcome-error.phpの2行目でスローされた

　スクリプトのエラーを修正するときには、必ずエラーメッセージを読んで、手がかりにしましょう。今回の場合には「welcome-error.phpの2行目で発生した」という情報が伝えられているので、スクリプトの2行目を確認します。

```
echo Welcome;
```

　「'Welcome'」と書くべきところが「Welcome」になってしまっています。シングルクォートを付け忘れていますね。そのため、「Welcome」を文字列として扱うことができなくなってしまいました。このスクリプトをPHPの文法に沿って理解しようとすると、「Welcomeと名付けられた定数の内容を表示せよ」ということになります。
　定数はスクリプト内で文字列や数値などのデータを扱うための仕組みです。スクリプト内で定数を使うためには、その定数がどのような値なのかをあらかじめ指定しておく必要があります。しかし、今回のスクリプトでは定数の内容を指定していません。そもそも私たちプログラマは、定数を使おうとは思っていなかったわけです。
　PHPが定数を表示しようとしても、肝心の内容が指定されていないため、表示のしようがありません。そこで、エラーメッセージを出力するわけです。
　定数については、後ほど解説します（p.82）。

Fig　文字列と定数の動作の違い

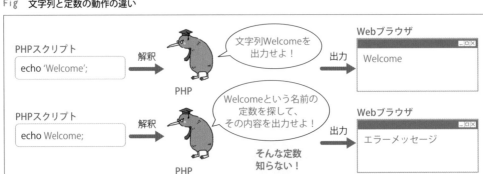

52

ヒントを頼りにスクリプトを修正する

エラーメッセージには実に役に立つ情報が含まれています。間違いと疑われる場所だけでなく、間違いを解決するためのアドバイスまで与えてくれることもあります。エラーメッセージが表示されたら、

- ▶ **エラーの箇所（どのファイルの何行目か）**
- ▶ **エラーの理由**
- ▶ **エラーの解決方法**

といった情報を読み取って、活用することをおすすめします。当てずっぽうに修正を試みるよりもずっと、スピーディに問題が解決するはずです。この例では、スクリプトをエラーメッセージに従って修正すると、以下のスクリプトになります。

```
echo 'Welcome';
```

これはStep1（p.46）と同じ、正しいスクリプトです。

 覚えておこう！

エラーメッセージには間違いがある箇所や修正方法のヒントが書かれています。

📣ファイル末尾における終了タグの省略

　スクリプトファイルの末尾にある終了タグ?>は、省略することが可能です。終了タグの後に余分な空白や改行があると、表示のズレや予期せぬエラーを引き起こす場合があります。そのため、特にHTML部分のないPHP部分のみのファイルについては、終了タグを省略するスタイルが推奨されています。
　本書では、どこからどこまでがPHP部分なのかを明示するために、あえて全ての終了タグを省略せずに記述しました。PHPに慣れてきたら、ファイル末尾の終了タグを省略するスタイルも、使ってみてください。

printでメッセージを表示する

メッセージを出力する場合、echoのかわりに**print**を使うこともできます。WebなどでPHPスクリプトを探すと、printを使っている例を見かけるかもしれません。

printを使ってメッセージを出力してみましょう。以下のようなスクリプトを記述します。ファイルは**chapter3¥welcome3.php**です。Step1からの変更点を赤字で示します。

welcome3.php   PHP

```php
<?php
print 'Welcome';
?>
```

スクリプトを実行するには、ブラウザで以下のURLを開きます。

実行　http://localhost/php/chapter3/welcome3.php

正しく実行できた場合には、Step1と同様に、ブラウザ上に「Welcome」と表示されます。

解　説

print

printの使い方は次の通りです。

書式　print

```
print 'メッセージ';
```

echoもprintもメッセージを出力できますが、本書では主にechoを使用します。echoには複数の文字列や数値などを結合して出力する機能があり、本書で扱うスクリプトにおいて、便利に活用できる場面が多いためです。

ヒアドキュメント構文

　ヒアドキュメントは、複数行の文字列を表現するための構文です。echoやprintと組み合わせて、複数行のメッセージを出力することができます。例えば次の例は、Welcome、to、PHPという3行の文字列を出力します。<<<の後に指定した記号（ここではEND）が、文字列の終わりを表します。本書では使いませんが、ヒアドキュメントはいろいろなPHPスクリプトで使われています。

```
echo <<<END
Welcome
to
PHP
END;
```

echoタグ

　<?php echo 'いらっしゃいませ'; ?>のように、echoを1つだけ含むPHPスクリプトは、次のような短い記法で書くこともできます。この記法はechoタグと呼ばれます。

```
<?= 'いらっしゃいませ' ?>
```

　HTML部分のなかに、少しだけPHPで出力する部分が混じっている場合などに便利な記法です。

3-2 日本語でメッセージを表示する

HTML、文字コード

日本語のメッセージを表示するスクリプトを作りましょう。先ほどは英語で「Welcome」と表示しましたが、今度は日本語で「いらっしゃいませ」と表示します。日本語を正しく表示するためには、文字コードの概念や、PHPでHTMLドキュメントを生成する方法を学ぶ必要があります。

▼ ここでやること

PHP　いらっしゃいませ

> 日本語でメッセージを表示する方法を
> 学びましょう。

Step 1 日本語で表示するスクリプトを作成する

日本語で「いらっしゃいませ」と出力するスクリプトを作成しましょう。以下のようなスクリプトを記述します。ファイルはchapter3¥welcome-utf8.phpです。ファイルを保存する際には、文字コード（文字エンコーディング）をUTF-8（p.42）にしてください。

List welcome-utf8.php `PHP`

```php
<?php
echo 'いらっしゃいませ';
?>
```

スクリプトを実行するには、ブラウザで以下のURLを開きます。

実行 http://localhost/php/chapter3/welcome-utf8.php

正しく実行できた場合には、「いらっしゃいませ」と表示されます。

Fig 日本語のメッセージ

文字化け問題を解決する

Step1と同様に、日本語で「いらっしゃいませ」と出力するスクリプトを作成しましょう。以下のようなスクリプトを記述します。内容はStep1とまったく同じです。

ファイルはchapter3¥welcome-sjis.phpです。ファイルを保存する際には、文字コードをShift_JISにしてください。

List welcome-sjis.php `PHP`

```php
<?php
echo 'いらっしゃいませ';
?>
```

スクリプトを実行するには、ブラウザで以下のURLを開きます。

実行 http://localhost/php/chapter3/welcome-sjis.php

結果は使用するブラウザや設定によりますが、「いらっしゃいませ」と表示されず、次のように文字化けして表示されることがあります。

Fig 文字化けした日本語のメッセージ

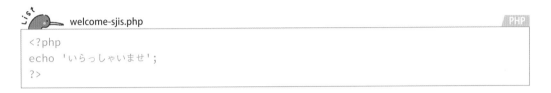

解　説

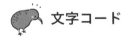

文字コード

Step1とStep2のスクリプトは同じものに見えますが、実行結果が異なることがあります。筆者の環境では、Step2では期待したメッセージ「いらっしゃいませ」が表示されず、文章として読み取れない表示になってしまっています。表示が狂った原因は、文字コードにあります。文字コードとは、コンピュータの内部で文字を表現するための方式のことです。

コンピュータで使用する文字には種類ごとに番号が振られています。例えば文字「A」は65番、「b」は98番というようにです。この番号を使って、文字を保存したり、文字を送受信したりしています。

文字と番号とを対応付けているのが、文字コード体系です。Step1の「welcome-utf8.php」は、文字コードに**UTF-8**を指定して保存しました。Step2の「welcome-sjis.php」は、**Shift_JIS**で保存しました。

　筆者のブラウザは、たまたまUTF-8を使うように設定してありました。そのため、UTF-8で出力されたStep1のメッセージは正しく表示され、Shift_JISで出力されたStep2のメッセージは誤った文字コードで解釈されて、文字化けしてしまったわけです。逆に、Shift_JISを使う設定を行ったブラウザで、Step1のUTF-8のメッセージを表示すると、やはり正しくない表示になります。

Fig　正しい文字コードを指定しないと文字化けする

　Step1とStep2のいずれの方法も、ブラウザの設定によっては正しく表示されないメッセージになってしまいます。この問題の解決策は、**HTMLドキュメント**としてメッセージを表示する方法です。HTMLには、使用する文字コードを明示する手段があるので、文字化けを防ぐことができます。PHPでメッセージを出力する際には、HTMLを利用するのがおすすめです。

覚えておこう！

　　文字コードの設定が違っていると文字化けを起こすことがあります。

📢文字コードと文字エンコーディング

　文字コードと文字エンコーディングは近い概念なのですが、少し意味が異なります。コンピュータで文字を扱うために、文字に対して割り当てた数値のことを、文字コードと呼びます。そして、この数値をコンピュータで実際に扱うデータにする方法のことを、文字エンコーディングと呼びます。例えばUTF-8は、Unicodeと呼ばれる文字コードに対する、文字エンコーディングの一種です。本書では説明を簡単にするために、UTF-8も文字コードと呼んでいます。

メッセージをHTMLで出力する

　ブラウザの設定にかかわらず正しく日本語のメッセージが表示されるように、PHPスクリプトの実行結果をHTML（HyperText Markup Language）形式で出力することにします。多くのWebページは、HTMLで記述されています。HTMLドキュメントは、使用している文字コードをブラウザに伝えることができるので、ブラウザは適切に文字コードを解釈して表示することができます。

　HTMLドキュメントを出力するスクリプトを作成してみましょう。以下のようなスクリプトを記述します。ファイルは**chapter3¥welcome-html.php**です。Step1やStep2からの変更点を赤字で示します。

　ファイルを保存する際には、文字コードを**UTF-8**にしてください。本書では特別な指定がない限り、全てのファイルをUTF-8で保存します。

List　🐦　welcome-html.php ［PHP］

```
<!DOCTYPE html>
<html lang="ja">
<head>
<meta charset="UTF-8">
<title>PHP Sample Programs</title>
<link rel="stylesheet" href="../style.css">
<link rel="stylesheet" href="style.css">
</head>
<body>
<?php
echo 'いらっしゃいませ';
?>
</body>
</html>
```

　このスクリプトでは、見栄えをよくするために、ロゴなどの飾りを入れています。本書のサンプルデータ（p.15）に含まれる、スタイルシート（style.css）とロゴの画像（logo.png）を使います。

　スクリプトを実行するには、ブラウザで以下のURLを開きます。

実行　http://localhost/php/chapter3/welcome-html.php

　実行すると、ブラウザの文字コード設定にかかわらず、「いらっしゃいませ」というメッセージが表示されます。HTMLの<body>タグのなかにPHPスクリプトの実行結果を組み込んで、HTMLドキュメントとして出力しています。

Fig HTMLで文字コードを指定したメッセージ

 HTML部分の意味

　スクリプトのHTML部分について、各行の意味を説明します。PHP部分よりも前の部分は、以下の通りです。

Table スクリプトのHTML部分（前半）

記述	意味
`<!DOCTYPE html>`	ドキュメントの種類がHTMLであることを示す
`<html lang="ja">`	HTMLドキュメントの始まりと言語（ここでは日本語）を示す
`<head>`	このドキュメントに関する情報を記す領域の始まりを示す
`<meta charset="UTF-8">`	文字コードとしてUTF-8を指定する
`<title>PHP Sample Programs</title>`	ページのタイトルを指定する
`<link rel="stylesheet" href="../style.css">`	ページを見栄えよくするためにスタイルシートを使う
`<link rel="stylesheet" href="style.css">`	Chapterごとに特有のスタイルシートを読み込む場合に使用
`</head>`	ドキュメントに関する情報はここで終わり
`<body>`	ブラウザに表示する情報をこの後に書き込んでいく

　PHP部分よりも後の部分は、以下の通りです。

Table スクリプトのHTML部分（後半）

記述	意味
`</body>`	ブラウザに表示する情報が終わることを示す
`</html>`	HTMLドキュメントの終わりを示す

　上記のなかで重要なのは、次の箇所です。文字コードとしてUTF-8を指定しています。

```
<meta charset="UTF-8">
```

　なお、本書では文字コードとしてUTF-8を使用しますが、他の文字コードを使う場合にもこの後に解説するPHPスクリプトの書き方は変わりません。ファイルを保存する際の文字コードと、上記の<meta>タグのcharset属性の指定が変わるだけです。

　また、サンプルの見栄えをよくするために、簡単なスタイルシートを使用しています。スタイルシートのcssファイル（style.css）については、PHPスクリプトとは関係しないため解説しませんが、本書のダウンロードページ（p.15）から、サンプルとともにダウンロードできます。

 ## 出力されたHTMLドキュメントの確認

　Step3のスクリプトでは、「いらっしゃいませ」というメッセージだけをPHP部分の処理結果として出力します。その他のHTMLドキュメントは、PHPタグ（p.7）の外に書かれています。
　このスクリプトを実行すると、次のような出力が行われます。

▶ **HTML部分 → そのまま出力**
▶ **PHP部分　→ PHPの実行結果を出力**

　実際にどのような出力がされているのか、ブラウザでページのソースを表示すると確認できます。Step3の出力を確認してみましょう。Step3のスクリプトで「いらっしゃいませ」と表示した状態で、ページのソースを表示します。
　ブラウザがChromeならば、ページが表示されている領域を右クリックして❶、メニューから［ページのソースを表示］❷を選択します。

Fig　ページのソースを確認する

筆者の環境では、次のようなソースになっていました。

```
<!DOCTYPE html>
<html lang="ja">
<head>
<meta charset="UTF-8">
<title>PHP Sample Programs</title>
<link rel="stylesheet" href="../style.css">
<link rel="stylesheet" href="style.css">
</head>
<body>
いらっしゃいませ</body>
</html>
```

Step3のスクリプトと、出力されたページのソースを比べてみましょう。PHP部分は、スクリプトが出力した「いらっしゃいませ」というメッセージに置き換わっています。

HTML部分は、</body>タグ直前の改行位置が異なるものの、その他については同一です。HTMLドキュメント内にある改行は、ブラウザが表示を行う際には無視されますので、改行位置の相違は問題ありません。

ページのソースを表示する機能は、スクリプトを作成する際に、ぜひ活用してください。意図した通りの出力が得られないときには、出力されたページのソースを確認すると、問題の原因がわかることが多いです。

📢 HTML部分とPHP部分の使い分け

これまでに学んだように、PHPのスクリプトには、HTML部分とPHP部分を混在させることができます。両者は次のように使い分けるのがおすすめです。

▶ **HTML部分 → 常に同じ出力を行う**
▶ **PHP部分 → 状況に応じて異なる出力を行う**

Step3のスクリプトにおいて、先頭のHTMLタグ群と、末尾のHTMLタグ群は、常に同じ出力を行うので、HTML部分としています。この先頭と末尾の部分は、本書の今後のスクリプトにおいても、Step3と同様にHTML部分としています。

一方、<body>タグと</body>タグに囲まれた部分、つまりページの内容として表示される部分については、PHP部分としています。Step3ではいつも決まったメッセージを表示するだけですが、今後は状況に応じて異なる出力を行うスクリプトを作成します。

3-3

ユーザーが入力したメッセージを画面上に表示する
require文、リクエストパラメータ

いよいよ、プログラミングがあってこその機能を作成します。ユーザーが入力したデータを加工して、ブラウザに結果を表示する方法を学びます。ユーザーに名前を入力してもらい、挨拶文を付け加えたうえで、ブラウザに表示するスクリプトを作りましょう。

▼ここでやること

PHP PHP	お名前を入力してください。 [　　　　　] 確定

↓

PHP PHP	お名前を入力してください。 松浦 健一郎 [　　] 確定

↓

PHP PHP	ようこそ、松浦 健一郎さん。

> 入力されたメッセージをブラウザ上で
> 表示する処理を作りましょう。

入力用のテキストボックスを表示する

　ショッピングサイトなどでは、ユーザーに「ようこそ、○○さん。」といった挨拶を表示することが多いでしょう。その際に表示するユーザー名は、あらかじめ登録されている会員情報などから取得することが多いのですが、ここでは簡単なスクリプトにするため、ユーザーにその場で名前を入力してもらうことにします。

　最初に、ユーザーが名前を入力するためのページを表示してみましょう。以下のようなスクリプトを記述します。ファイルはchapter3¥user-input.phpです。

　このスクリプトは、本書のサンプルデータ（p.15）に含まれるheader.phpとfooter.phpを使います。これらの内容は後ほど解説します。

　スクリプトを実行するには、ブラウザで以下のURLを開きます。

実行 http://localhost/php/chapter3/user-input.php

List user-input.php PHP

```php
<?php require '../header.php'; ?>
<p>お名前を入力してください。</p>
<form action="user-output.php" method="post">
<input type="text" name="user">
<input type="submit" value="確定">
</form>
<?php require '../footer.php'; ?>
```

　正しく実行できた場合には、名前を入力してもらうためのテキストボックスと、入力結果を送信するための［確定］ボタンが表示されます。段落を表わす**<p>**タグを使ったテキストも一緒に表示されます。なお本書では、<p>タグを使ったテキスト部分については、特に説明が必要な箇所以外は言及せずに進みます。

Fig　ユーザーからの入力を受け取るページ

解　説

 使い回す部分を別ファイルにまとめる（require文）

　複数のスクリプトで、同じ部分を使い回すことがあります。このような場合は、使い回す共通部分を別のファイルに保存しておき、スクリプトから読み込むようにします。この方法には、次のような利点があります。

▶ 繰り返し同じ内容を入力する手間が省け、スクリプトが簡潔になります。
▶ 共通部分を一括して変更したくなった場合に、複数のスクリプトを1つひとつ変更する必要がなく、共通部分のファイルだけを変更すればすみます。

　別のファイルに記述されたスクリプトを、読み込んで実行するための機能がPHPの**require**文です。require文を使うと、スクリプトを複数のファイルに分割して、整理することができます。
　require文の使い方は次の通りです。指定したスクリプトファイルを読み込んで実行します。

書式 require

```
require 'ファイル名';
```

Step1のスクリプトでは、以下のrequire文を使って、**header.php**を読み込んで実行します。

```php
<?php require '../header.php'; ?>
```

また、以下のrequire文を使って、**footer.php**を読み込んで実行します。

```php
<?php require '../footer.php'; ?>
```

「`../`」は実行するPHPスクリプトにとっての親フォルダを表します。フォルダ構成を以下に示します。

Fig　ファイルのフォルダ構成

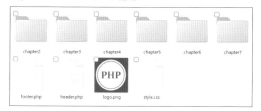

Step1のスクリプト（user-input.php）は、以下のフォルダにあります。

Windows c:¥xampp¥htdocs¥php¥chapter3

macOS /Applications/MAMP/htdocs/php/chapter3

header.phpとfooter.phpは、以下のフォルダにあります。これらのフォルダは、スクリプトがあるフォルダの親フォルダです。

Windows c:¥xampp¥htdocs¥php

macOS /Applications/MAMP/htdocs/php

header.phpの内容は以下の通りです。HTMLドキュメントの先頭部分を記述しました。

List　header.php

```
<!DOCTYPE html>
<html lang="ja">
<head>
<meta charset="UTF-8">
<title>PHP Sample Programs</title>
<link rel="stylesheet" href="../style.css">
<link rel="stylesheet" href="style.css">
</head>
<body>
```

footer.phpの内容は以下の通りです。HTMLドキュメントの末尾部分を記述しました。

List footer.php PHP

```
</body>
</html>
```

header.phpとfooter.phpの内容は、3-2で解説したスクリプト（p.59）の先頭と末尾のPHP部分と同様のものです。以後の本書のスクリプトは、いずれもHTMLドキュメントを出力します。その際に、毎回必要になる先頭部分と末尾部分を何度も記述しなくてすむように、header.phpとfooter.phpにまとめたうえで、require文で読み込むことにしました。

お手元にコンピュータがある方は、Step1のスクリプトをブラウザから実行して、正しい表示が得られることを確認してみてください。表示されない場合には、header.phpやfooter.phpが適切なフォルダに保存されているかどうかを確認してください。

なお、header.phpやfooter.phpは、本書のサンプルデータ（p.15）に含まれています。

覚えておこう！

複数のスクリプトで使い回す処理はrequireでまとめましょう。

入力フォームの表示

ユーザーからの入力を受け取り、加工して出力するまでの流れは、次の通りです。入力用フォームで入力されたデータを出力用スクリプトに送って、結果を出力ページに表示します。

Fig 入力を受け取って出力する

入力用フォーム、出力用スクリプトの順に作成します。Step1では、HTMLを使用して入力を受け付けるフォーム画面を作成します。

Step1のスクリプト（p.64）でフォームを作成しているのは、以下の部分です。

```
<form action="user-output.php" method="post">
...
</form>
```

<form>タグで、入力フォームの記述が始まることを示します。</form>タグが、入力フォームの終わりを示します。<form>から</form>までの間に、このフォームで使用するコントロールを記述します。コントロールとは、ユーザーの入力を受け付けるための部品です。

Fig　<form>タグを使って入力フォームを作る

```
<form action="user-output.php" method="post">

   <input type="text" name="user">              ←─ テキストボックス

   <input type="submit" value="確定">           ←─ ボタン

</form>
```

🐤 テキストボックス

<input>タグを用いて、テキストを入力するためのコントロールであるテキストボックスを設置します。type属性の値をtextにすると、テキストボックスになります。属性の値は"で囲って、"text"のように記述します。一方、name属性はコントロールを識別するための名前を設定します。ここでは「user」という名前にしました。

```
<input type="text" name="user">
```

🐤 ボタン

同様に<input>タグを用いて、送信用のボタンを設置します。type属性をsubmitにすると、Webサーバにフォームの内容を送信するボタンになります。value属性に設定した値は、ボタンに表示されます。ここではユーザーにボタンの働きを伝えるため、「確定」とボタンに表示することにしました。

```
<input type="submit" value="確定">
```

テキストボックスやボタン以外のコントロールについては、Chapter4で使用方法を解説します。

テキストボックスからデータを取得する

テキストボックスに入力された文字列を取得して、ブラウザ上にメッセージを表示するスクリプトを作成しましょう。以下のようなスクリプトを記述します。ファイルはchapter3¥user-output.phpです。最初と最後の行は、使い回す処理をまとめたrequire文（p.64）です。

user-output.php `PHP`

```php
<?php require '../header.php'; ?>
<?php
echo 'ようこそ、', $_REQUEST['user'], 'さん。';
?>
<?php require '../footer.php'; ?>
```

スクリプトを実行してみましょう。実行は、Step1で作成した入力用のフォーム画面（p.64）から行います。ブラウザで以下のURLを開きます。

実行 http://localhost/php/chapter3/user-input.php

テキストボックス❶に名前を入力して、[確定]ボタン❷を選択します。好きな名前を入力してみてください。例えば「松浦 健一郎」と入力すると、画面に「ようこそ、松浦 健一郎さん。」と表示されます。何度か別の名前を入力して、動作を確認してみてください。入力画面に戻るには、ブラウザで「戻る」を実行します。

Fig 入力した名前がメッセージとともに表示される

解説

フォーム送信時の動作

フォーム上のボタンを選択すると、コントロールの値が出力用のスクリプトに送信されます。出力用のスクリプトは、<form>タグのaction属性に指定します。ここに指定されたスクリプトが、フォームの状態に応じて実行されます。Step1のスクリプトに記述された<form>タグ（p.67）を、

もう一度確認してみましょう。

```
<form action="user-output.php" method="post">
```

　action属性に`user-output.php`が指定されています。［確定］ボタンを選択して、フォームを送信すると、Step2のスクリプトである「user-output.php」が実行されます。

　method属性の`post`というのは、HTTPにおいて、フォームの内容をサーバに送信するための方式です。POSTのように大文字で記述されることもあります。一方、method属性に`get`（GET）を指定することもできます。getは本来、サーバからファイルなどを取得するために用いるのですが、フォームの内容をサーバに送信する際にも指定することができます。

　フォームの内容をサーバに送信する際には、postを使うことがおすすめです。送信できるデータ容量が大きいことや、送信するデータの内容がユーザーに見えにくいことが、getに対するpostの利点です。

 覚えておこう！

　　出力用のスクリプトは`<form>`タグのaction属性に指定します。

 ## リクエストパラメータ

　Step1のスクリプト（p.64）に記述された、テキストボックスの`<input>`タグを、もう一度確認してみましょう。

```
<input type="text" name="user">
```

　name属性に`user`が指定されています。一方、Step2のスクリプト（p.68）において、同じ「user」が指定されている箇所があります。

```
echo 'ようこそ、', $_REQUEST['user'], 'さん。';
```

　フォームで入力した内容は、**リクエストパラメータ**としてWebサーバに送信されます。リクエストパラメータとは、Webサーバに対してリクエストを行う際に、同時に送信する付加的な情報のことです。

　Webサーバはスクリプトを実行する際に、リクエストパラメータを渡します。スクリプトは、受け取ったリクエストパラメータの値に応じた処理を行います。

　1回のリクエストにおいて、複数のリクエストパラメータを送信することがあります。そこで、

個々のリクエストパラメータを区別するために、名前を付けます。本書では、**リクエストパラメータ名**と呼ぶことにします。

テキストボックスのname属性で指定した「user」が、今回のリクエストパラメータ名です。出力用のスクリプトからは、同じ「user」というリクエストパラメータ名を指定することによって、テキストボックスの入力内容を取得することができます。

Fig　リクエストパラメータの働き

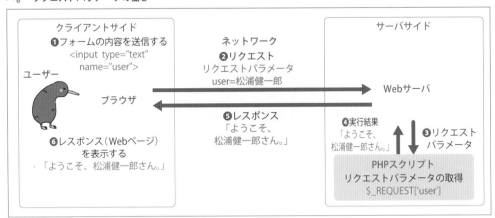

覚えておこう！

コントロールのname属性の値が**リクエストパラメータ名**となります。

リクエストパラメータの取得と表示

スクリプトでリクエストパラメータを取得するためには、以下の記法を使います。

書式 リクエストパラメータの取得

```
$_REQUEST['リクエストパラメータ名']
```

指定した名前のリクエストパラメータを取得します。例えばリクエストパラメータ名が「user」ならば、以下のように記述します。

```
$_REQUEST['user']
```

テキストボックスに「松浦 健一郎」と入力した場合、上記のように書くと、「松浦 健一郎」という文字列が取得できます。

取得した文字列は、echoを使って表示することができます（p.48）。以下のスクリプトは、「松浦 健一郎」のようにメッセージを表示します。

```
echo $_REQUEST['user'];
```

echoの後に、複数の値を,（カンマ）で区切って並べると、値を連結して表示することができます。値とは、文字列や数値などのデータのことです。例えば以下のスクリプトは、「ようこそ、松浦 健一郎さん。」のように表示します。

```
echo 'ようこそ、', $_REQUEST['user'], 'さん。';
```

上記のスクリプトは、以下の3個の値を連結して表示しています。

Table　連結する値

値	種類
'ようこそ、'	文字列
$_REQUEST['user']	リクエストパラメータ（文字列）
'さん。'	文字列

 ## $_REQUEST

$_REQUESTは、リクエストパラメータを取得するための仕組みです。PHPの文法上の意味合いとしては、変数（へんすう）の一種となります。変数は値を格納するための仕組みです。$_REQUESTにはリクエストパラメータの値が格納されます。

Fig　変数と$_REQUEST

 覚えておこう！

$_REQUESTにはリクエストパラメータの値が格納されます。

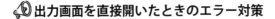 出力画面を直接開いたときのエラー対策

Step1の入力画面を使わずに、Step2のスクリプトを直接ブラウザで開くと、エラーメッセージが表示されます。実際に試してみてください。ブラウザで以下のURLを開きます。

実行 http://localhost/php/chapter3/user-output.php

画面に以下のエラーメッセージが表示されます。

> ようこそ、
> Warning: Undefined array key "user"
> in C:¥xampp¥htdocs¥php¥chapter3¥user-output.php on line 3
> さん。

「Warning: … line 3」の部分がエラーメッセージです。内容は以下の通りです。

> 警告：userというキーが未定義である
> C:¥xampp¥htdocs¥php¥chapter3¥user-output.phpの3行目

エラーが発生したのは下記の箇所です。

```
$_REQUEST['user']
```

先ほど説明したように、$_REQUESTにはリクエストパラメータが格納されます。リクエストパラメータは入力画面からWebサーバに送信されるので、入力画面を使わずに出力画面だけを実行すると、リクエストパラメータは未定義になります。今回は$_REQUEST['user']が未定義となり、エラーが発生しました。この問題に対処するには、以下のようなスクリプトを記述します。ファイルはchapter3¥user-output2.phpです。Step2からの変更点を赤字で示します。

 user-output2.php `PHP`

```php
<?php require '../header.php'; ?>
<?php
if (isset($_REQUEST['user'])) {
    echo 'ようこそ、', $_REQUEST['user'], 'さん。';
}
?>
<?php require '../footer.php'; ?>
```

スクリプトを実行するには、ブラウザで以下のURLを開きます。

実行 http://localhost/php/chapter3/user-output2.php

Step2のスクリプトとは異なり、今度はエラーメッセージが表示されません。「ようこそ、○○さん。」のメッセージも表示されません。

エラーが発生したのは、$_REQUEST['user']で指定したリクエストパラメータ「user」が未定義のためでした。変数が定義されているかどうかを判定して、定義されている場合だけメッセージを表示すれば、エラーは発生しなくなります。そこで、if文という仕組みを使って、リクエストパラメータが定義されているときだけ処理を実行するようにしています。

ifというのは、Chapter4で解説する条件分岐の一種で、条件が成立したときだけ {} 内の処理を実行し

ます。またissetというのは、Chapter5で解説する関数（かんすう）の一種で、変数が定義されているかどうかを調べます。

上記のようにスクリプトを記述すれば、入力画面を使わなかったときのエラーメッセージを防止することができます。ただし、Step2のスクリプトと比較するとわかるように、少し複雑になります。本書では以後、掲載するスクリプトの簡潔さを優先して、入力画面を使わなかったときのエラーメッセージの防止については、省略することにします。

ユーザーがHTMLタグを入力したときの対策

Step2のスクリプトには、もう1つ検討すべき点があります。それは、ユーザーが入力欄にHTMLタグを入力したときの対策です。ブラウザで以下のURLを開いて、入力画面を表示してください。

実行 http://localhost/php/chapter3/user-input.php

名前に「<h1>松浦 健一郎</h1>」という文字列を入力して、[確定]ボタンを選択してみてください。名前が改行されて、大きな文字で表示されます。

Fig　HTMLタグを入力したときの表示

これはHTMLタグで大きな見出しを表す、<h1>タグを入力したためです。ユーザーが入力したタグを、スクリプトがそのまま出力したため、ブラウザはタグに従って見出しを表示したのです。

このようなユーザーが入力したタグを無効にするには、以下のようなスクリプトを記述します。ファイルはchapter3¥user-output3.phpです。user-output2.phpからの変更点を赤字で示します。

List　user-output3.php

```php
<?php require '../header.php'; ?>
<?php
if (isset($_REQUEST['user'])) {
    echo 'ようこそ、', htmlspecialchars($_REQUEST['user']), 'さん。';
}
?>
<?php require '../footer.php'; ?>
```

HTMLタグを無効にするために、$_REQUEST['user']をそのまま表示するのではなく、htmlspecialchars($_REQUEST['user'])のように記述しています。

htmlspecialcharsというのは、Chapter5で解説する関数の一種で、HTMLにおいて特別な働きをする文字について、働きを無効にします。ユーザーが入力した文字列を表示したり、保存したりする際に、安全性を高める効果があります。

htmlspecialcharsを使うと、安全性は高まりますが、スクリプトは少し複雑になります。本書では以後、掲載するスクリプトの簡潔さを優先して、特に注意が必要な場合を除き、htmlspecialchars関数の使用は省略することにします。

htmlspecialcharsの使い方については、Chapter6（p.214）で解説します。

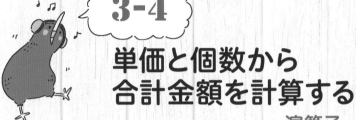

3-4

単価と個数から合計金額を計算する

演算子、変数

入力した単価と個数に対して、合計金額を計算するスクリプトを作成しましょう。スクリプトの作成を通じて、演算子と変数について学びます。演算子は計算を行うための記号です。例えば「+」は加算、「*」は乗算を行う演算子です。また、変数を定義して、表示や計算に活用する方法について学びます。

▼ここでやること

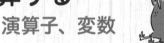

入力された値を計算して、結果をブラウザ上に表示する処理を作成しましょう。

step 1 単価と個数を入力する画面の作成

単価と個数を入力するフォーム画面を作成しましょう。以下のようなスクリプトを記述します。ファイルはchapter3¥price-input.phpです。

List price-input.php `PHP`

```php
<?php require '../header.php'; ?>
<form action="price-output.php" method="post">
単価 <input type="text" name="price"> 円
×
個数 <input type="text" name="count"> 個
<input type="submit" value="計算">
</form>
<?php require '../footer.php'; ?>
```

スクリプトを実行するには、ブラウザで以下のURLを開きます。

実行 http://localhost/php/chapter3/price-input.php

正しく実行できた場合には、単価および個数のテキストボックスと、[計算]ボタンが表示されます。

Fig 単価と個数の入力画面

このスクリプトでは、以下のように2個のテキストボックスを<input>タグを使って配置します。

```
<input type="text" name="price">
<input type="text" name="count">
```

単価と個数のname属性は、priceとcountです。したがって、リクエストパラメータ名(p.69)も、それぞれ「price」と「count」になります。

演算子を使って合計金額を計算する

Step1の入力画面から、単価と個数を取得して、合計金額を表示するスクリプトを作成しましょう。以下のようなスクリプトを記述します。ファイルはchapter3¥price-output.phpです。

List price-output.php   PHP

```php
<?php require '../header.php'; ?>
<?php
echo $_REQUEST['price'], '円×';
echo $_REQUEST['count'], '個=';
echo $_REQUEST['price']*$_REQUEST['count'], '円';
?>
<?php require '../footer.php'; ?>
```

このスクリプトの実行には、Step1の入力画面を使います。例えば単価に120円❶、個数に5個❷と入力し、[計算]ボタン❸を選択します。画面には「120円×5個＝600円」と表示されます。

Fig 合計金額の計算

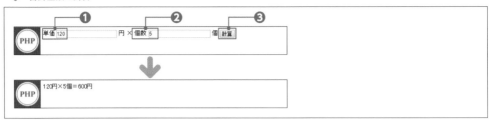

解 説

 リクエストパラメータの取得と計算

　単価と個数（を入力するテキストボックス）のリクエストパラメータ名はpriceとcountです。こ
れらのリクエストパラメータを取得するには、**$_REQUEST**を用いて、以下のように記述します。

```
$_REQUEST['price']
$_REQUEST['count']
```

　このように記述することで、リクエストパラメータとして渡されたテキストボックスの値を、
$_REQUESTを介して取り出し、スクリプト内で利用することができます。

 演算子

　合計金額を求めるには、単価と個数を乗算します。スクリプト内で加減乗除などの計算を行うに
は、演算子を利用します。計算などの処理を行うことを、「演算する」と呼びます。演算子は、各種
の演算を表す記号です。
　乗算の演算子は*です。「*」を用いて、「単価*個数」のように記述します。実際のスクリプトは以
下の通りです。

```
$_REQUEST['price']*$_REQUEST['count']
```

　演算部分を見やすくするために、演算子の前後に空白を入れて、以下のように記述しても構いま
せん。本書では空白を入れずに、短く記述しています。

```
$_REQUEST['price'] * $_REQUEST['count']
```

Step2のスクリプトではechoを使って（p.48）、求めた合計金額に「円」を付けて、画面に表示します。

```
echo $_REQUEST['price']*$_REQUEST['count'], '円';
```

乗算の演算子は、通常の計算で使う「×」ではなく「*」ですが、使い方は通常の計算と同様です。PHPには他にも演算子が用意されています。演算子のなかでも、主に計算に使うものを紹介します。演算子には四則演算を行うためのもの以外にも、代入（p.80）や比較（p.117）を行うためのものがあります。詳細は後ほど解説します。

Table 演算子（一部）

演算子	意味
**	累乗
++ --	1を加算、1を減算
!	論理（否定）
* / %	乗算、除算、剰余
+ - .	加算、減算、文字列の結合
< <= > >=	比較（より小さい、以下、より大きい、以上）
== !=	比較（等しい、等しくない）
&&	論理（かつ）
||	論理（または）
=	代入

演算子には優先順位があります。優先順位が高い演算子を先に、低い演算子を後に処理します。例えば「2+3*4」のような計算では、「+」よりも「*」の方が優先順位が高いので、「3*4」を先に計算します。上記の表のうち、上に記載されているものほど優先順位が高くなります。

覚えておこう！

スクリプト内で計算を行うときは演算子を利用します。

📣浮動小数点数

PHPで除算を行うと、割り切れない場合には、小数部分がある数値になります。小数部分がない数値のことを整数（せいすう）、小数部分がある数値のことを実数（じっすう）または浮動小数点数（ふどうしょうすうてんすう）と呼ぶことがあります。

変数とは、値を格納するための仕組みです。適切に変数を使用すると、スクリプトが簡潔になったり、理解しやすくなったり、複雑な計算が記述できるようになったり、といった効果があります。

ここではStep2のスクリプトを、変数を使って書き直してみましょう。以下のようなスクリプトを記述します。ファイルは**chapter3¥price-output2.php**です。

List price-output2.php `PHP`

```php
<?php require '../header.php'; ?>
<?php
$price=$_REQUEST['price'];
$count=$_REQUEST['count'];
echo $price, '円×';
echo $count, '個=';
echo $price*$count, '円';
?>
<?php require '../footer.php'; ?>
```

次に、入力画面用のスクリプトを、price-output2.phpが実行できるように修正します。Step1のスクリプトから変更する部分を赤字で示しました。ファイルは**chapter3¥price-input2.php**です。

List price-input2.php `PHP`

```php
<?php require '../header.php'; ?>
<form action="price-output2.php" method="post">
単価 <input type="text" name="price"> 円
×
個数 <input type="text" name="count"> 個
<input type="submit" value="計算">
</form>
<?php require '../footer.php'; ?>
```

スクリプトを実行するには、ブラウザで以下のURLを開きます。price-input2.phpの内容は、フォーム送信時にprice-output2.phpを実行すること以外は、Step1のprice-input.phpと同じです。

実行 http://localhost/php/chapter3/price-input2.php

単価と個数を入力して、[計算]ボタンを選択すると、Step2と同様に合計金額が表示されます。

解 説

🥝 変数

　変数を使うには、最初に変数に名前を付ける必要があります。変数の名前のことを変数名（へんすうめい）と呼びます。変数名には、次のような規則があります。

▶ ①変数名の前にはドル記号（$）を付ける
▶ ②1文字目は英字またはアンダースコア（_）を使う
▶ ③2文字目以降は英字、数字、アンダースコアのいずれかを使う
▶ ④英字の大文字と小文字は区別される

　なお、上記以外の文字（文字コードが127から255までの文字）も変数名に使用することができますが、本書ではわかりやすさのために、英字、数字、アンダースコアのみを使うことにします。
　例えば、次のような変数名は有効です。

$price
$price2
$price_tag

　「$123price」は、規則②により1文字目に数字が使えないので、無効な変数名です。また、「$price」と「$Price」は、規則④により大文字と小文字が区別されるので、別の変数となります。
　変数名には英単語や複数の英単語の組み合わせを使うのがおすすめです。一方で「$i」や「$j」のように、英字1文字だけのごく簡単な変数名を使うこともあります。

覚えておこう！

　変数を使う場合は最初に規則に従って名前を付けます。

📣 定義済みの変数

　変数はプログラマが自分で定義して使用することができますが、$_REQUESTのようにPHPがあらかじめ定義しているものもあります。PHPがあらかじめ用意している変数と同じ名前の変数を定義し直して使うことはできません。

　以下はPHPにおいて定義済みの変数です。本書に関係が深い変数を抜粋しました。

Table　定義済みの変数（一部）

変数名	役割
$_REQUEST	HTTPのリクエストパラメーター式（GETおよびPOST）
$_GET	HTTPのGETリクエストパラメータ
$_POST	HTTPのPOSTリクエストパラメータ
$_FILES	アップロードされたファイルの情報
$_SESSION	セッション
$_COOKIE	クッキー

 代入

　代入（だいにゅう）とは、変数に値を格納することです。代入は次のように記述します。

書 式	代入

変数=値

　=を代入演算子（だいにゅうえんざんし）と呼びます。代入演算子を使うと、左辺の変数に、右辺の値が書き込まれます（コピーされます）。

Fig　変数に値を代入する

　変数には数値や文字列などの値を代入することができます。数値を代入した変数は、スクリプト内で数値のかわりとして扱うことができます。文字列を代入すると、文字列のかわりとなります。なお、スクリプト内に記述した数値や文字列の値のことを「リテラル」と呼びます。

Fig 変数に値を代入して利用する

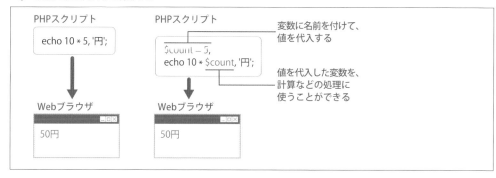

覚えておこう！

変数に数値や文字列を代入して使用します。

変数同士で代入を行うこともできます。

書 式	変数同士の代入
変数A＝変数B	

　この場合は左辺の変数（以下の変数A）に、右辺の変数（以下の変数B）の値が書き込まれます（コピーされます）。

Fig 変数に変数を代入する

　Step3のスクリプト（p.78）では、以下の部分で代入を行います。

```
$price=$_REQUEST['price'];
```

　変数$priceに対して、$_REQUEST['price']の値（リクエストパラメータpriceに格納されている値）を代入します。例えば$_REQUEST['price']が120ならば、$priceに120が入ります。
　以下の部分でも同様に、変数$countに対して、$_REQUEST['count']の値を代入します。

```
$count=$_REQUEST['count'];
```

📢 定数

　定数（ていすう）は値に名前を付ける機能です。使い方は変数に似ていますが、変数とは違い、最初に値を設定したら、再び値を設定し直すことができません。定数は以下のように、constというキーワードを使って定義します。

書 式	定数の定義

```
const  定数名=値
```

```
const TAX=0.1;
const MESSAGE='お買い上げありがとうございます。';
```

　変数とは違い、定数の先頭には$を付けません。また、定数名の規則は変数名と同様ですが、変数と区別するために、大文字を使う習慣があります。

 配列

　配列（はいれつ）は、複数の値をまとめて管理するための機能です。変数には1つの値だけを格納しますが、配列には複数の値を格納できます。リクエストパラメータで利用する$_REQUESTも実は配列（厳密には配列を代入した変数）であり、複数の値を格納することが可能です。

Fig　配列

配列		
要素	キー	値
要素	キー	値
要素	キー	値
⋮		

$_REQUEST		
要素	'user'	司ゆき
要素	'age'	21
要素	'password'	'hellophp'
⋮		

　配列内には、複数の値を格納するために、複数の領域があります。この領域のことを、配列の要素（ようそ）と呼びます。

個々の要素を区別して操作するためには、キーという機能を使います。例えば、リクエストパラメータの取得の際に使用する$_REQUEST['user']などの記述において、'user'の部分がキーです。キーには整数または文字列を使います。

　配列の要素に値を代入する方法は、変数に値を代入する方法と同じです。例えば、配列$stockのキー 'apple'の要素に30を代入するには、次のように記述します。

```
$stock['apple']=30;
```

　複数の要素に対して一括して値を設定する方法は、Chapter4で紹介します（p.122）。

覚えておこう！

　　配列には複数の値を格納できます。

変数の利用

　$priceに単価、$countに個数が代入されているので、これらの変数を表示や計算に使うことができます。以下は、単価や個数を画面に表示します（文字列と連結して表示します）。

```
echo $price, '円×';
echo $count, '個=';
```

　変数に代入された単価と個数を乗算（p.76）して合計金額を求めるには、以下のように記述します。

```
$price*$count
```

　求めた合計金額に「円」を付けて表示するには、以下のように記述します。

```
echo $price*$count, '円';
```

数値が入力されたかどうかを調べる

Step3のスクリプト（p.78）では、入力画面で単価や個数に数値以外を入力した場合、計算を行うことができません。例えば、単価に123円、個数にabc個と入力して［計算］ボタンを選択すると、合計金額は表示されず、エラーメッセージが表示されます。

Fig　数値以外を入力したときの結果

```
123円×abc個 =
Fatal error: Uncaught TypeError: Unsupported operand types: string * string in
C:¥xampp¥htdocs¥php¥chapter3¥price-output2.php:7 Stack trace: #0 {main}
thrown in C:¥xampp¥htdocs¥php¥chapter3¥price-output2.php on line 7
```

　本来は、数値以外が入力されたときには入力の間違いを知らせた方が便利です。そのためには、入力された内容が数値かどうかを判定する仕掛けが必要です。その仕掛けについては、Chapter5（p.149）で紹介します。

Chapter 3 のまとめ

　本章ではPHPの基本的なプログラミングの方法について学びました。メッセージの表示から始めて、動的なWebアプリケーションを作るうえで重要なリクエストパラメータの操作方法、そして変数や演算子を使った計算処理の方法を学びました。
　次章ではより複雑なスクリプトを記述するために、条件分岐やループといった制御構造について学びます。

Chapter 4

制御構造とコントロール

本章ではPHPの制御構造について学びます。制御構造とは、スクリプトを実行する流れを変化させるための文法です(制御構文とも呼ばれます)。制御構造を使うと、条件に応じてスクリプトの動作を切り替えることができるため、実現できる処理の幅が格段に広がります。

あわせてコントロールについても学びます。コントロールとは、チェックボックスやセレクトボックスといった、Webページに配置する部品です。コントロールを生成したり、コントロールの入力を受け取る方法について学びます。

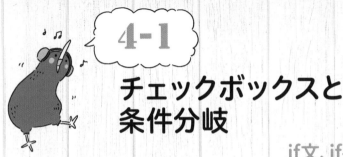

チェックボックスと条件分岐

if文、if-else文

チェックボックスは、ある項目を選択するかどうかを指定するためのものです。チェックボックスがチェックされているかどうかに応じて、異なるメッセージを表示してみましょう。例題は、お買い得情報のメールを受け取るかどうかを指定するスクリプトです。

▼ ここでやること

☑お買い得情報のメールを受け取る

確定

> チェックの有無をif文で判断して、実行する内容を切り替えるスクリプトを作りましょう。

入力画面にチェックボックスを配置する

チェックボックスは、ユーザーにオンかオフかといった選択をしてもらうためのコントロールです。選択結果によって実行する処理を切り替えます。この、「選択結果によって」という部分を実現するために、PHPではif文という仕組みを利用します。ここでは、チェックボックスとif文を組み合わせたスクリプトを作成しながら、if文の仕組みについて学びましょう。

最初に、Webページにチェックボックスを配置しましょう。以下のようなスクリプトを記述します。ファイルはchapter4¥check-input.phpです。

List check-input.php PHP

```php
<?php require '../header.php'; ?>
<form action="check-output.php" method="post">
<p><input type="checkbox" name="mail">お買い得情報のメールを受け取る</p>
<p><input type="submit" value="確定"></p>
</form>
<?php require '../footer.php'; ?>
```

スクリプトは、c:¥xampp¥htdocs¥phpフォルダ（macOSの場合は/Applications/MAMP/htdocs/phpフォルダ）の下に、chapter4フォルダを作成して、そのなかに保存します（p.37）。また、XAMPP（p.26）またはMAMP（p.34）からApacheを起動しておいてください。

スクリプトを実行するには、ブラウザで以下のURLを開きます。

実行 http://localhost/php/chapter4/check-input.php

正しく実行できた場合には、［お買い得情報のメールを受け取る］チェックボックスと、［確定］ボタンが表示されます。

Fig チェックボックスと確定ボタン

 解　説

 コントロールの配置

ユーザーからの入力を受けて処理を行うフォーム画面を作成するためには、HTMLの<form>タグを利用します（p.67）。<form>と</form>の間に、コントロールを配置するための記述を行います。また、action属性には、フォームから送られたデータを受け取って実行するスクリプト（ここではcheck-output.php）を指定します。

```
<form action="check-output.php" method="post">
```

Fig <form>タグでフォーム画面を作成する

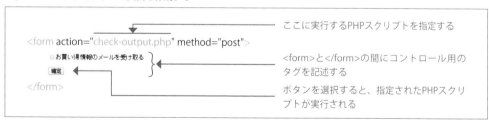

🐦 チェックボックス

チェックボックスは<input>タグを使って作成します。以下のように、type属性をcheckboxにします。

```
<input type="checkbox" name="mail">
```

name属性を使って、チェックボックスに名前を付けます。ここでは、メールに関するチェック
ボックスなのでmailという名前にしました。この名前は、Step2の出力用のスクリプト（check-
output.php）からチェックボックスの状態を調べるときに使います。

🥝 ボタン

　ボタンも<input>タグを使って作成します。type属性はsubmitです。ボタン上に表示する文字
列は、value属性に指定します。

```
<input type="submit" value="確定">
```

　ボタンが選択（クリックまたはタップ）されると、フォーム上にあるコントロールの状態がWeb
サーバに送信され、その情報に応じて<form>タグに指定したスクリプトが実行されます。

Fig　コントロールの状態に合わせてスクリプトが実行される

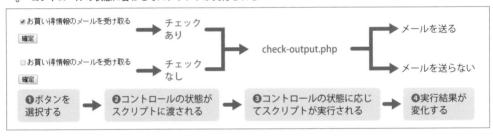

チェックされているかどうかを判定する

step 2

　フォーム画面で選択されたチェックボックスの状態を判定して、表示するメッセージを切り替え
るスクリプトを作成しましょう。以下のようなスクリプトを記述します。ファイルはchapter4¥
check-output.phpです。

List　check-output.php　　　　　　　　　　　　　　　　　　　　　　　　　　　　　　　PHP

```php
<?php require '../header.php'; ?>
<?php
if (isset($_REQUEST['mail'])) {
    echo 'お買い得情報のメールをお送りさせて頂きます。';
} else {
    echo 'お買い得情報のメールはお送りさせて頂きません。';
}
?>
<?php require '../footer.php'; ?>
```

このスクリプトは、Step1の入力用のフォーム画面で、[確定]ボタンを選択することで実行されます。

まずはチェックボックスをチェックして、[確定]ボタンを選択します。「お買い得情報のメールをお送りさせて頂きます。」と表示されます。ぜひ、実際に操作してみてください。

Fig　チェックした場合の動作

お買い得情報のメールをお送りさせて頂きます。

ブラウザの「戻る」を使って、入力画面に戻ります。今度はチェックを外して、[確定]ボタンを選択してください。「お買い得情報のメールはお送りさせて頂きません。」と表示されます。

Fig　チェックしなかった場合の動作

お買い得情報のメールはお送りさせて頂きません。

  解　説

if文による条件分岐

通常、PHPスクリプトは上に書かれた行（文）から順番に実行されます。上から順に全ての行を実行していき、最後の行が実行されると終了となります。

「ボタンが選択されたらメッセージを表示する」といったシンプルな処理であればこの仕組みで十分なのですが、「チェックボックスの状態によって、表示するメッセージを変化させる」といった処理を作りたい場合は、上の行（文）から順番に実行していくだけでは実現することができません。

Fig　スクリプトは上から順番に実行される

```
<?php
echo 'メッセージAを表示します。';
echo 'メッセージBを表示します。';
echo 'メッセージCを表示します。';
?>
```

スクリプトは通常、上に書かれた行（文）
から順番に実行される

メッセージAを表示します。メッセージBを表示します。メッセージCを表示します。

そこで、ユーザーの選択内容などによってスクリプトの流れを変化させる、制御構造という仕組みを使います。この処理を日本語で記述すると、次の図のようになります。

Fig　制御構造でスクリプトの流れを変化させる

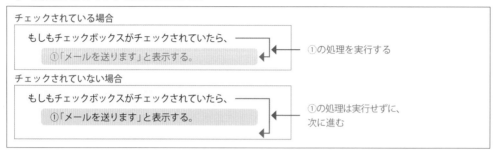

　このように条件に応じて処理を分岐させることを、条件分岐と呼びます。PHPに限らず、多くのプログラミング言語が条件分岐を行うための構文を備えています。PHPで条件分岐を行う際には、if文という構文を利用します。
　if文は、PHPで条件分岐を行うための構文の1つです。次のように記述します。

書式　if

```
if (条件) {
    条件が成立したときの処理;
}
```

　チェックボックスの例は、if文を使って次の図のように記述できます。

Fig　if文でメッセージを変化させる

```
            ────────── 条件
if ( チェックボックスがチェックされている ){

    「メールを送ります」と表示する;          ◀── 条件が成立したときの処理

}
```

　この場合、チェックされているときはメッセージを表示します。チェックされていないときは、メッセージを表示せずに、if文を終了して次の処理に進みます。

Fig　分岐時の処理の流れ

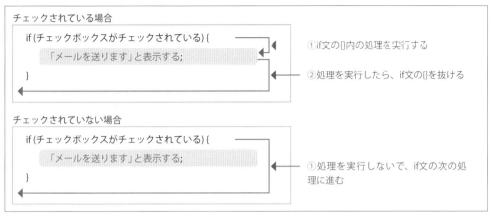

実際に動作するスクリプトは、以下のように記述できます。これはcheck-output.php（p.88）の一部です。

```php
if (isset($_REQUEST['mail'])) {
    echo 'お買い得情報のメールをお送りさせて頂きます。';
}
```

覚えておこう！

if文を使えば、チェックしたときだけ実行する処理が書けます。

if-else文による条件分岐

if文を使うことで、条件が成立したときだけ処理を実行することが可能になりました。次は、条件が成立したときの処理と、条件が成立しなかったときの処理を両方記述できるようにしましょう。次の図は、この処理を日本語で記述した例です。

Fig 条件によって実行する処理を変える

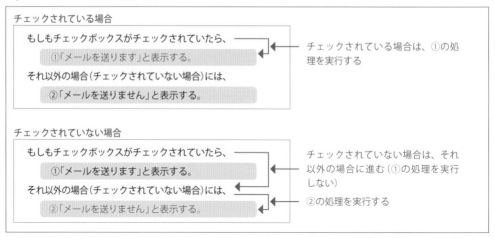

if-else文を使うと、上記のような処理を記述することができます。if-else文の文法は以下の通りです。

書式 if-else

```
if (条件) {
    条件が成立したときの処理;
} else {
    条件が成立しなかったときの処理;
}
```

チェックボックスの例は、if-else文を使って次のように記述できます。

Fig if-else文でメッセージを変化させる

実際に動作するスクリプトは、以下のように記述できます。これはcheck-output.php（p.88）の一部です。

```
if (isset($_REQUEST['mail'])) {
    echo 'お買い得情報のメールをお送りさせて頂きます。';
} else {
    echo 'お買い得情報のメールはお送りさせて頂きません。';
}
```

覚えておこう！

if-else文を使えば、チェックの有無によって行う処理を変えることができます。

真偽値

真偽値（しんぎち）というのは、条件の成立と不成立を表す値です。真偽値にはTRUEとFALSEがあります。

TRUEは条件が成立したことを表す値です。「トゥルー」と発音し、日本語では真（しん）と呼びます。FALSEは条件が成立しなかったことを表す値です。「フォルス」と発音し、日本語では偽（ぎ）と呼びます。

TRUEとFALSEは大文字と小文字が区別されません。trueのように小文字で書いても、Trueのように大文字と小文字を混ぜて書いても大丈夫です。本書ではTRUEのように大文字で書きます。

if文は、条件の真偽値に応じて処理を分岐する構文だといえます。条件がTRUEのときに、{}内の処理を実行します。p.90で示したif文の構文は、真偽値を用いると次のように表すことができます。

書式 真偽値とif文の関係

```
if (条件) {
    条件がTRUEのときの処理;
}
```

if-else文も、条件の真偽値に応じて処理を分岐する構文です。条件がTRUEのときには、if側にある {} 内の処理を実行します。条件がFALSEのときには、else側にある {} 内の処理を実行します。

書式 真偽値とif-else文の関係

```
if (条件) {
    条件がTRUEのときの処理;
} else {
    条件がFALSEのときの処理;
}
```

覚えておこう！

条件が成立するときはTRUE、成立しないときはFALSEとなります。

 チェックボックスの状態に応じた処理

入力用のフォーム画面で[確定]ボタンを選択すると、チェックボックスのチェック状態がWebサーバを経由して出力用のスクリプトに渡されます。入力画面から出力用スクリプトにコントロールの状態を送って利用するためには、Chapter3で解説したリクエストパラメータ（p.69）の仕組みを使います。

チェックボックスがチェックされていると、チェックボックスのname属性の値に対応したリクエストパラメータが設定されます。リクエストパラメータは、$_REQUESTというPHPによってあらかじめ定義されている変数（配列）を用いて、以下のように取得できます。

> **書式** リクエストパラメータの取得

```
$_REQUEST['リクエストパラメータ名']
```

覚えておこう！

name属性の値がリクエストパラメータ名になります。

Step1では、チェックボックスのname属性をmailとしました。このチェックボックスがチェックされていると、$_REQUEST['mail']というリクエストパラメータの変数（配列の要素）が定義されます。チェックされていないと、未定義になります。

変数が定義されているかどうかは、isset関数で調べることができます。関数は「かんすう」と読みます。関数というのは、プログラミングで利用するいろいろな機能を、簡単に呼び出せる形にまとめたものです。PHPでは、多くの便利な関数があらかじめ定義されています。isset関数は次のように使用します。

> **書式** isset

```
isset(変数)
```

実際のスクリプトは、リクエストパラメータを利用して、例えば次のように記述します。

```
isset($_REQUEST['mail'])
```

isset関数は、変数に値が代入されていて、かつ値がNULLではないときに、TRUEを返します。NULLは「ヌル」と読み、ある変数が値を持たないことを表す特別な値です。

if文とisset関数とリクエストパラメータを組み合わせると、以下のようなスクリプトが記述できます。このように記述することで、リクエストパラメータの変数が定義されているときに（かつ値がNULLでないときに）、if文の {} のなかの処理を実行させることができます。

書式　if文の条件にリクエストパラメータを使用する

```
if (isset(リクエストパラメータの変数)) {
    変数が定義されているときの処理;
}
```

if-else文とisset関数とリクエストパラメータを組み合わせた場合は、以下のようになります。isset関数は、変数の値が定義されていない場合（あるいは値がNULLの場合）はFALSEを返すので、elseの {} 処理が実行されます。

書式　if-else文の条件にリクエストパラメータを使用する

```
if (isset(リクエストパラメータの変数)) {
    変数が定義されているときの処理;
} else {
    変数が定義されていないときの処理;
}
```

チェックボックスの例は、以下のように記述できます。

Fig　チェックの有無で処理を分岐する

```
                        変数が定義されているかどうかを確認
if (    isset(リクエストパラメータの変数)    ) {
    チェックされているときの処理;          ←  変数が定義されているときの処理
} else {
    チェックされていないときの処理;        ←  変数が定義されていないときの処理
}
```

実際のスクリプトは以下の通りです。

```
if (isset($_REQUEST['mail'])) {
    echo 'お買い得情報のメールをお送りさせて頂きます。';
} else {
    echo 'お買い得情報のメールはお送りさせて頂きません。';
}
```

覚えておこう！

isset関数は変数が定義されているとTRUE、定義されていないとFALSEを返します。

式と評価

式というのは、値・変数・演算子・関数を組み合わせたものです。例えば、「1+2」という式は、

▶ **値**　　：1
▶ **演算子**：+
▶ **値**　　：2

を組み合わせたものです。

　式を計算することを、式を評価すると呼びます。上記の式を評価すると「3」という結果が求まります。このように式全体が表す値のことを、式の値と呼びます。つまり、「1+2」という式の値は「3」です。

　if文やif-else文の条件には、式を記述することができます。if文は、式を評価した結果として、式の値がTRUEならば、{}内の処理を実行する構文だといえます。

> **書式** if文の条件に式を記述する

```
if （式） {
    式の値がTRUEのときの処理;
}
```

　if-else文は、式を評価した結果として、式の値がTRUEならばif側の {}内を、FALSEならばelse側の {}内を実行する構文だといえます。

書式 if-else文の条件に式を記述する

```
if (式) {
    式の値がTRUEのときの処理;
} else {
    式の値がFALSEのときの処理;
}
```

Step2のスクリプトでは、以下のようにif-else文の条件を記述しています。この条件は、isset関数と$_REQUEST変数を組み合わせたものなので、これも式です。

```
isset($_REQUEST['mail'])
```

📢 比較演算子を使った式

if文の条件としては、比較演算子（p.117）を使った式を書くことがよくあります。例えば、「変数$countが0の場合」という条件は、次のように書きます。

```
$count==0
```

条件とif文を組み合わせて、例えば$countが0の場合にメッセージを表示するには、次のように書きます。

```
if ($count==0) {
    echo '在庫がありません。';
}
```

 ### 中括弧 {} の省略

if文では、中括弧 {} 内の処理が1つの文だけの場合、{} を省略することができます。{} 内の処理が複数の文の場合には、{} を省略することはできません。

書式 {} を省略したif文

```
if (条件) 条件がTRUEのときの処理;
```

if-else文も同様に、{}内の処理が1つの文だけの場合、{}を省略することができます。if文と同様に、{}内の処理が複数の文の場合には、{}を省略することはできません。

```
if (条件) 条件がTRUEのときの処理; else 条件がFALSEのときの処理;
```

{}を省略すると、スクリプトの行数を減らすことができ、見通しがよくなる場合があります。一方、{}を付けた方が、条件に応じて分岐する処理の範囲が明確になる場合もあります。どちらの記法を採用するのかは、プログラマによって異なります。両方の方法を使ってみて、効率よくプログラミングできる方法を選択するのがおすすめです。本書のサンプルコードでは、分岐の範囲を明確にするために、1つの文だけの場合にも{}を付けています。

🔊 変数名の上手な付け方

変数名とは「変数の名前」のことです。変数名を上手に付けることができると、スクリプトが読みやすくなり、開発の効率が上がります。

変数名は平易な英語で付けるのがおすすめです。英語があまり得意でなくても、大丈夫です。英語の辞書を使いながら、変数にできるだけ適切な名前を付けましょう。最初は手間がかかりますが、プログラミングでは似たような目的の変数を何度も使うので、よく使う名前はそのうち覚えてしまいます。

ループで使う変数「$i」のように、狭い範囲で使う変数には、ごく簡単な名前を付けることがあります。一方で、広い範囲で使う変数には、英語として意味が通る名前を付けるのがおすすめです。

4-2

ラジオボタンと条件分岐
switch文

ラジオボタンは、複数の項目のなかから1つを選択するためのコントロールです。選択された項目に応じて、異なるメッセージを表示してみましょう。例題は、食事の種類を選ぶと、食事の内容を表示するスクリプトです。

▼ ここでやること

ラジオボタンの選択内容に合わせて、表示するメッセージを切り替えましょう。

 入力画面にラジオボタンを配置する

step 1

入力用のフォーム画面にラジオボタンとボタンを配置しましょう。コントロールは、<form>タグを使って配置します。ここでは、3項目分のラジオボタンと、選択状況を出力用のスクリプトに送るための[確定]ボタンを配置しています。

以下のようなスクリプトを記述します。ファイルはchapter4¥radio-input.phpです。

 List　radio-input.php　　　　　　　　　　　　　　　　　　　　　　PHP

```php
<?php require '../header.php'; ?>
お食事を選択してください。
<form action="radio-output.php" method="post">
<p><input type="radio" name="meal" value="和食" checked>和食</p>
<p><input type="radio" name="meal" value="洋食">洋食</p>
<p><input type="radio" name="meal" value="中華">中華</p>
<p><input type="submit" value="確定"></p>
</form>
<?php require '../footer.php'; ?>
```

スクリプトを実行するには、ブラウザで以下のURLを開きます。

実行 http://localhost/php/chapter4/radio-input.php

　正しく実行できた場合には、[和食][洋食][中華]という3つのラジオボタンと、[確定]ボタンが表示されます。

Fig　ラジオボタンと確定ボタン

　解　説

　ラジオボタンの作成

　ラジオボタンもチェックボックスと同様に、<input>タグを使って作成します。以下のように、type属性をradioにします。

```
<input type="radio" name="meal" value="和食">
```

　name属性を使ってラジオボタンに名前を付けます。食事に関するラジオボタンなので、mealという名前にしました。ラジオボタン名（name属性の値）はリクエストパラメータ名として設定され（p.69）、名前が同じラジオボタンはグループになります。

　グループとなったなかから1個だけ、ラジオボタンを選択状態にすることができます。今回は和食・洋食・中華のなかから1個だけ選択可能にするために、3つのラジオボタン全ての名前をmealにしました。

```
<input type="radio" name="meal" value="洋食">
<input type="radio" name="meal" value="中華">
```

Fig　name属性の値がリクエストパラメータ名になる

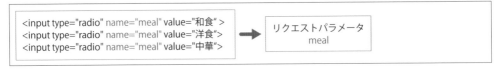

<input>タグに**checked**と記述すると、そのラジオボタンをあらかじめ選択状態にしておくことができます。ここでは、あらかじめ[和食]を選択状態にしています。

```
<input type="radio" name="meal" value="和食" checked>
```

value属性に設定した値は、スクリプトから取得することができます。この値を使って、どのラジオボタンが選択されたのかを調べます。

覚えておこう!

name属性の値が同じラジオボタンはグループになります。

step 2　選択に応じて異なるメッセージを表示する

どのラジオボタンが選択されているかを判定して、表示するメッセージを変更する処理を作成しましょう。以下のようなスクリプトを記述します。ファイルは**chapter4¥radio-output.php**です。

List　radio-output.php　　　　　　　　　　　　　　　　　　　　　　　　　　　　PHP

```php
<?php require '../header.php'; ?>
<?php
switch ($_REQUEST['meal']) {
case '和食':
    echo '焼き魚、煮物、味噌汁、御飯、果物';
    break;
case '洋食':
    echo 'ジュース、オムレツ、ハッシュポテト、パン、コーヒー';
    break;
case '中華':
    echo '春巻、餃子、卵スープ、炒飯、杏仁豆腐';
    break;
}
echo 'をご提供いたします。';
?>
<?php require '../footer.php'; ?>
```

Step1の入力画面で、[和食]のラジオボタンを選んだ状態で、[確定]ボタンを選択します。「焼き魚、煮物、味噌汁、御飯、果物」という和食のメニューが表示されます。

Fig [和食]を選択したときの動作

焼き魚、煮物、味噌汁、御飯、果物をご提供いたします。

ブラウザで入力画面に戻り、今度は[洋食]を選んだ状態で、[確定]ボタンを選択します。「ジュース、オムレツ、ハッシュポテト、パン、コーヒー」という洋食のメニューが表示されます。

Fig [洋食]を選択したときの動作

ジュース、オムレツ、ハッシュポテト、パン、コーヒーをご提供いたします。

[中華]を選択したときにも、同様に「春巻、餃子、卵スープ、炒飯、杏仁豆腐」という中華のメニューが表示されます。

Fig [中華]を選択したときの動作

春巻、餃子、卵スープ、炒飯、杏仁豆腐をご提供いたします。

解　説

switch文による条件分岐

ユーザーの選択内容に応じて、実行される処理を何通りかに分岐したいことがあります。例えば、選択したラジオボタンに応じて、表示するメッセージを変化させるような場合です。

- ▶ [和食]の場合 →「焼き魚、煮物」などを表示する
- ▶ [洋食]の場合 →「ジュース、オムレツ」などを表示する
- ▶ [中華]の場合 →「春巻、餃子」などを表示する

このような条件分岐は、if文やif-else文を使って記述することもできますが、switch文を使うと、より簡潔に記述することができます。switch文も条件分岐の一種で、次のような構文で記述します。

書式 switch

```
switch (式) {
case 値A:
    式の値が値Aのときの処理;
    break;
case 値B:
    式の値が値Bのときの処理;
    break;
case 値C:
    式の値が値Cのときの処理;
    break;
...
}
```

　switch文の {} 内には、複数のcase文を並べることができます。switch文の式の値がcase文に記述した値に等しいとき、そのcase文の処理を実行します。

　case文の末尾にはbreak文を記述します。break文は処理を終了して、switch文を抜け出します。break文を記述しない方法もありますが、最初のうちは記述するのがおすすめです。

Fig　switch文の式に合わせてcase文を実行する

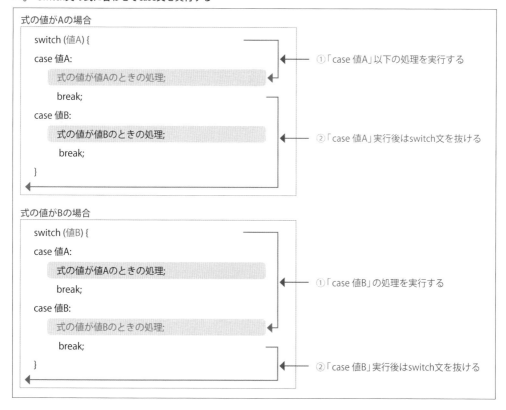

食事を選ぶラジオボタンの例は、switch文を使って次のように記述できます。

Fig ラジオボタンの選択に合わせて処理を分岐する

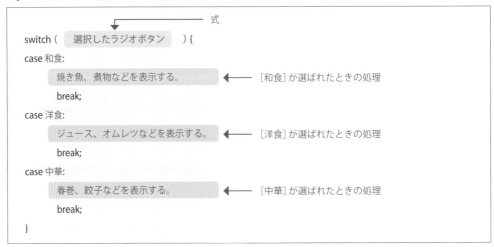

覚えておこう！

switch文の式に値が一致するcase文が実行されます。

選択したラジオボタンの取得

どのラジオボタンを選択しているかは、リクエストパラメータを使って取得することができます。ラジオボタンは、name属性に設定した値がリクエストパラメータ名となります。そして、リクエストパラメータには、選択したラジオボタンのvalue属性の値が設定されます。

Fig 選択したラジオボタンのvalue属性が設定される

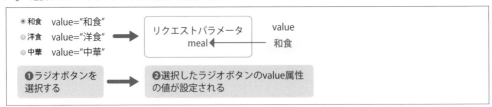

Step1では、ラジオボタンのname属性をmealとしました。出力用のスクリプトでは、$_REQUEST['meal']という式で、選択されたラジオボタンのvalue属性の値を取得できます。

Fig　リクエストパラメータをswitch文の式に利用する

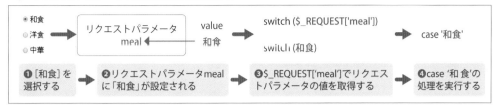

● 和食
○ 洋食
○ 中華

リクエストパラメータ
meal

value
和食

switch ($_REQUEST['meal'])

switch (和食)

case '和食'

❶［和食］を
選択する

❷リクエストパラメータmeal
に「和食」が設定される

❸$_REQUEST['meal']でリクエス
トパラメータの値を取得する

❹case '和食'の
処理を実行する

　value属性の値は和食・洋食・中華のいずれかです。switch文と組み合わせて、ラジオボタンの
選択に応じたメッセージを表示するスクリプトは、以下のように記述できます。

```
switch ($_REQUEST['meal']) {
case '和食':
    echo '焼き魚、煮物、味噌汁、御飯、果物';
    break;
case '洋食':
    echo 'ジュース、オムレツ、ハッシュポテト、パン、コーヒー';
    break;
case '中華':
    echo '春巻、餃子、卵スープ、炒飯、杏仁豆腐';
    break;
}
```

覚えておこう！

　　　選択したラジオボタンのvalue属性の値がリクエストパラメータに設定されます。

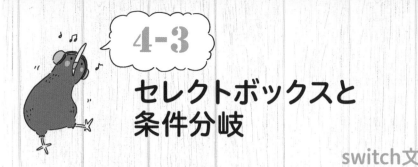

セレクトボックスは、複数の項目のなかから1つを選択するためのコントロールです。ドロップダウンメニューと呼ばれることもあります。選択された項目に応じて、異なるメッセージを表示してみましょう。例題は、列車の座席の種類を選択すると、追加料金を表示するスクリプトです。

▼ここでやること

座席の種類を選択してください。

自由席　▼

確定

> セレクトボックスで選択された項目に応じたメッセージを表示できるようしましょう。

入力画面にセレクトボックスを配置する

セレクトボックスを配置しましょう。これまでのコントロールと同様に<form>タグを使います。ここでは以下のようなスクリプトを記述して、セレクトボックスとボタンを1つずつ配置します。ファイルはchapter4¥select-input.phpです。

List select-input.php `PHP`

```
<?php require '../header.php'; ?>
<p>座席の種類を選択してください。</p>
<form action="select-output.php" method="post">
<select name="seat">
<option value="自由席">自由席</option>
<option value="指定席">指定席</option>
<option value="グリーン席">グリーン席</option>
</select>
<p><input type="submit" value="確定"></p>
</form>
<?php require '../footer.php'; ?>
```

スクリプトを実行するには、ブラウザで以下のURLを開きます。

正しく実行できた場合には、［自由席］［指定席］［グリーン席］という選択肢があるセレクトボックスと、［確定］ボタンが表示されます。

Fig　セレクトボックスと確定ボタン

解　説

セレクトボックスの作成

セレクトボックスを作成するには、<select>タグを記述します。

```
<select name="seat">
...
</select>
```

name属性を使って、セレクトボックスに名前を付けます。この名前がリクエストパラメータ名になります。ここでは座席を選択するので、seatという名前にしました。

セレクトボックスの選択肢を追加するには、<select>と</select>の間に、<option>タグを記述します。

```
<option value="自由席">自由席</option>
```

value属性に設定した値はリクエストパラメータに設定され、スクリプトから取得することができます。選択した選択肢のvalue属性の値が、リクエストパラメータに設定されます。

step 2　選択に応じて異なるメッセージを表示する

セレクトボックスの選択に応じて、異なるメッセージを表示するスクリプトを作成しましょう。以下のようなスクリプトを記述します。ファイルはchapter4¥select-output.phpです。

```
List
      select-output.php                                              PHP
<?php require '../header.php'; ?>
<?php
switch ($_REQUEST['seat']) {
case '指定席':
    echo '追加料金は1200円です。';
    break;
case 'グリーン席':
    echo '追加料金は2500円です。';
    break;
default:
    echo '追加料金はありません。';
    break;
}
?>
<?php require '../footer.php'; ?>
```

　Step1の入力画面で、セレクトボックスで[自由席]を選び、[確定]ボタンを選択すると、「追加料金はありません。」と表示されます。

Fig　[自由席]を選択したときの動作

　ブラウザで入力画面に戻り、今度は[指定席]を選び、[確定]ボタンを選択すると、「追加料金は1200円です。」と表示されます。

Fig　[指定席]を選択したときの動作

　同様に、[グリーン席]を選択したときには、「追加料金は2500円です。」と表示されます。

Fig　[グリーン席]を選択したときの動作

 解 説

 switch文とdefault

セレクトボックスの選択に応じたメッセージを表示するスクリプトは、4-2で解説したラジオボタンの場合（p.102）と同様に、switch文を使って実現することができます。まずは日本語で処理の流れを考えてみましょう。

▶ 自由席の場合　　　→ 追加料金はありません、と表示する
▶ 指定席の場合　　　→ 追加料金は1200円、と表示する
▶ グリーン席の場合 → 追加料金は2500円、と表示する

これは、ラジオボックスで作った処理を使えば、そのまま実現することができます。ここではdefaultという新しい構文を学ぶために、少し処理の流れを変えてみましょう。上記の処理は、以下のように記述することもできます。

▶ 指定席の場合　　　→ 追加料金は1200円、と表示する
▶ グリーン席の場合 → 追加料金は2500円、と表示する
▶ その他の場合　　　→ 追加料金はありません、と表示する

上記の「その他の場合」を記述するための構文がdefaultです。defaultは「デフォルト」と読みます。defaultはcase文（p.103）の特別な場合で、どのcase文にも該当しなかったときに実行されます。

defaultを記述する場合は、switch文の {} 内の最後に配置することが一般的です。defaultにも、他のcase文と同様に、break文を付けるのがおすすめです。

書式 defaultを使ったswitch文

```
switch (式) {
case 値A:
    式の値が値Aのときの処理;
    break;
case 値B:
    式の値が値Bのときの処理;
    break;
    ...
default:
    式の値がどのcase文にも該当しないときの処理;
    break;
}
```

座席を選ぶセレクトボックスの例は、switch文を使って、次のように記述できます。

Fig　セレクトボックスの選択に合わせて処理を分岐する

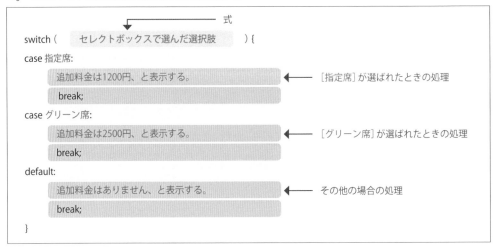

 ## セレクトボックスで選んだ選択肢を取得する

　セレクトボックスのname属性に対応したリクエストパラメータに、選んだ選択肢のvalue属性の値が設定されます。Step1でname属性をseatとしたので、`$_REQUEST['seat']`という式でvalue属性の値を取得できます。

　value属性は指定席・グリーン席・自由席のいずれかです。switch文と組み合わせると、選択肢に応じたメッセージを表示するスクリプトは、以下のように記述できます。

```php
switch ($_REQUEST['seat']) {
case '指定席':
    echo '追加料金は1200円です。';
    break;
case 'グリーン席':
    echo '追加料金は2500円です。';
    break;
default:
    echo '追加料金はありません。';
    break;
}
```

4-4

セレクトボックスとループ

forループ、whileループ

セレクトボックスの選択肢は<option>タグで記述しますが、選択肢が多いときには手作業で記述する
のが大変で、間違いも入りやすくなります。そんなときはスクリプトを使って、数多くの選択肢を簡単
に生成してみましょう。例題は、商品の購入数を選択するスクリプトです。

▼ ここでやること

PHP	購入数を選択してください。
	5 ▼
PHP	確定

> セレクトボックスの選択肢をスクリプ
> トで自動的に作成できるようにしま
> しょう。

Step 1 　手作業で選択肢を作成する

　　最初は手作業で、セレクトボックスと選択肢を配置してみましょう。以下のようなスクリプトを
記述します。ファイルはchapter4¥select-for-input.phpです。

　　このスクリプトでは、Step2との相違点を赤字で示しました。もしも入力が大変ならば、ここで
は入力を省略して、Step2から入力しても大丈夫です。

List　select-for-input.php

```php
<?php require '../header.php'; ?>
<p>購入数を選択してください。</p>
<form action="select-for-output.php" method="post">
<select name="count">
<option value="0">0</option>
<option value="1">1</option>
<option value="2">2</option>
<option value="3">3</option>
<option value="4">4</option>
<option value="5">5</option>
<option value="6">6</option>
<option value="7">7</option>
```

```
<option value="8">8</option>
<option value="9">9</option>
</select>
<p><input type="submit" value="確定"></p>
</form>
<?php require '../footer.php'; ?>
```

スクリプトを実行するには、ブラウザで以下のURLを開きます。

実行 http://localhost/php/chapter4/select-for-input.php

正しく実行できた場合には、[0]から[9]までの選択肢があるセレクトボックスと、[確定]ボタンが表示されます。

Fig 個数の選択画面

セレクトボックスの選択肢は、4-3（p.107）で説明したように、<option>タグを使って記述します。ここでは[0]から[9]までの選択肢を作成するために、10個の<option>タグを並べています。

```
<option value="0">0</option>
...
<option value="9">9</option>
```

このように規則性がある選択肢を数多く作成する場合には、次のStep2のように、スクリプトを使うと便利です。

スクリプトで選択肢を作成する

今度はスクリプトを使って選択肢を配置してみましょう。以下のようなスクリプトを記述します。ファイルはchapter4¥select-for-input2.phpです。

Step1からの変更点を赤字で示しました。Step1に比べて、行数がかなり少なくなっていることに注目してください。また、ここでは10個の選択肢を配置していますが、数値を変更するだけで、20個や30個の選択肢を配置することもできます。

List  select-for-input2.php PHP

```php
<?php require '../header.php'; ?>
<p>購入数を選択してください。</p>
<form action="select-for-output.php" method="post">
<select name="count">
<?php
for ($i=0; $i<10; $i++) {
    echo '<option value="', $i, '">', $i, '</option>';
}
?>
</select>
<p><input type="submit" value="確定"></p>
</form>
<?php require '../footer.php'; ?>
```

スクリプトを実行するには、ブラウザで以下のURLを開きます。

実行　http://localhost/php/chapter4/select-for-input2.php

正しく実行できた場合には、Step1と同様に、[0]から[9]までの選択肢があるセレクトボックスと、[確定]ボタンが表示されます。

解　説

 forループ

スクリプトにおいて、指定した処理を指定した回数だけ繰り返したいことがあります。このような繰り返しのことを、ループと呼びます。ループも条件分岐と同様に、制御構造の1つです。
例えば、10個の選択肢を表示する処理は、次のように考えられます。

Fig　10個の選択肢を表示する

113

ここでは選択肢を [0] から [9] まで変化させるので、より具体的に記述すると、次のようになります。

Fig　値を変化させながら選択肢を表示する

　このような繰り返し処理をスクリプトにする方法を考えてみましょう。そのためには変数（p.79）が必要です。ここでは変数$iを使います。変数の名前は好きに決めてよいのですが、繰り返し処理のスクリプトでは$iや$jといった名前の変数がよく使用されます。

　変数を使うことで、以下のように表すことができます。

Fig　変数を使って選択肢を表示する

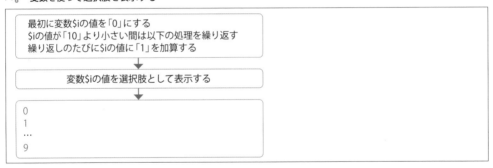

　もう少し、詳しく見てみましょう。

Fig　変数$iの変化と実行される処理

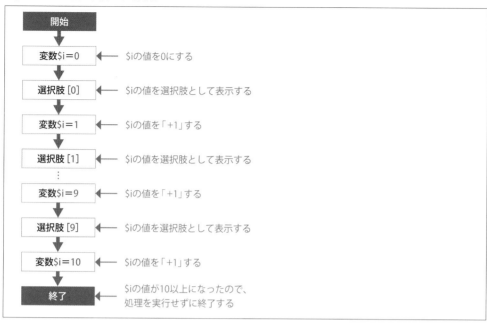

開始

変数$i＝0 ← $iの値を0にする

選択肢 [0] ← $iの値を選択肢として表示する

変数$i＝1 ← $iの値を「+1」する

選択肢 [1] ← $iの値を選択肢として表示する

変数$i＝9 ← $iの値を「+1」する

選択肢 [9] ← $iの値を選択肢として表示する

変数$i＝10 ← $iの値を「+1」する

終了 ← $iの値が10以上になったので、
処理を実行せずに終了する

　上記のような処理は、**for**ループを使うと簡潔に記述できます。forループは、PHPで繰り返し処理を行うための構文の1つです。forループは次のように記述します。

書式　for

```
for （開始処理； 条件式； 更新処理） {
    繰り返し処理；
}
```

開始処理、条件式、更新処理の意味は次の通りです。

◆ **開始処理**

　forループの開始時、最初に一度だけ行う処理です。通常は、繰り返し処理に使う変数の初期値を設定します。

◆ **条件式**

　繰り返しを行うかどうかを判定するための式を設定します。条件式の結果がTRUEの間は繰り返しを行います。FALSEになったら繰り返しを終了します。

◆ 更新処理

繰り返しのたびに行う処理です。通常は、繰り返す処理に使う変数の値を増減します。変数の値が変化することで、条件式の結果も変わってきます。

forループを使って、[0] から [9] までの選択肢を作成するには、次のように記述します。繰り返し行う処理は、{} の間に記述します。

Fig　forループで選択肢を表示する

```
          開始処理        条件式       更新処理
           ↓            ↓           ↓
for (  $iを0にする;  $iが10より小さい;  $iに1を加算する  ) {
     $iの選択肢を表示する                          ← 繰り返し処理
}
```

実際のスクリプトは以下の通りです。

```
for ($i=0; $i<10; $i++) {
    echo '<option value="', $i, '">', $i, '</option>';
}
```

上記のスクリプトでは、

```
echo '<option value="', $i, '">', $i, '</option>';
```

の部分で<option>タグ（選択肢）を出力しています。実際に出力するタグは、変数の値が当てはめられて、

```
<option value="0">0</option>
```

のようになります。

覚えておこう！

forループは条件式がTRUEの間は処理を繰り返します。

比較演算子

「$iが10より小さい」ことを表すには、演算子<を使います。<を使った式は、左辺が右辺よりも小さいとき、TRUEになります。<に似た演算子に、>、<=、>=、==、!=があります。このように左辺と右辺の大きさを比較したり、等しいかどうかを調べたりする演算子を、比較演算子と呼びます。

Table　比較演算子

演算子	おすすめの読み方	式の値がTRUEになる状態
<	小なり（しょうなり）	左辺が右辺よりも小さい
>	大なり（だいなり）	左辺が右辺よりも大きい
<=	小なりイコール	左辺が右辺よりも小さいか等しい（左辺が右辺以下である）
>=	大なりイコール	左辺が右辺よりも大きいか等しい（左辺が右辺以上である）
==	イコール	左辺と右辺が等しい
!=	ノットイコール（notは否定の意味）	左辺と右辺が等しくない

例えば「$i<10」のような式の読み方は、プログラマによって異なりますが、「$i小なり10」のように読むのがおすすめです。「$iが10よりも小さい」と読むよりも簡潔で、「$iが10未満である」のように表現を変えて読むよりも、機械的に読めます。

インクリメント演算子

更新処理で使っている++はインクリメント演算子です。インクリメント演算子は変数に1を加算します。例えば$i++と記述すると、$iに1を加算します。
--という演算子もあります。--はデクリメント演算子で、変数から1を減算します。例えば$i--と記述すると、$iから1を減算します。
ループなどでは、変数に対して1を加算したり、変数から1を減算したりといった処理をよく使います。このような加減算を簡潔に記述するために、インクリメント演算子やデクリメント演算子が用意されています。

step 3 選択した結果を表示する

セレクトボックスで選択した結果を表示するスクリプトを作成しましょう。以下のようなスクリプトを記述します。ファイルはchapter4¥select-for-output.phpです。

select-for-output.php

PHP

```php
<?php require '../header.php'; ?>
<?php
echo $_REQUEST['count'], '個の商品をカートに追加しました。';
?>
<?php require '../footer.php'; ?>
```

　Step1またはStep2の入力画面で、セレクトボックスから選択肢を選び、［確定］ボタンを選択すると、選んだ個数に応じたメッセージが表示されます。例えば「5」を選ぶと、「5個の商品をカートに追加しました。」と表示されます。

Fig　選択した結果を表示する

5個の商品をカートに追加しました。

　解　説

 リクエストパラメータの値を表示する

　Step1とStep2では、セレクトボックスのname属性をcountとしました。セレクトボックスも、name属性の値がリクエストパラメータ名になります。そのため、セレクトボックスで選んだ選択肢は、$_REQUEST['count']という式で取得できます。

　ここで取得できるのは、<option>タグのvalue属性の値です。選択した<option>タグ（選択肢）の値がリクエストパラメータに設定されます。ここでは0から9までの数値が得られるので、メッセージとともに画面に表示しています。

 whileループで選択肢を作成する

step 4

　whileループは、forループとともにPHPで繰り返し処理を行うための構文の1つです。whileループを使って、Step2と同様に、複数の選択肢を配置してみましょう。

　以下のようなスクリプトを記述します。ファイルはchapter4¥select-for-input3.phpです。Step2との相違点を、赤字で示しました。

List　select-for-input3.php

`PHP`

```php
<?php require '../header.php'; ?>
<p>購入数を選択してください。</p>
<form action="select-for-output.php" method="post">
<select name="count">
<?php
$i=0;
while ($i<10) {
    echo '<option value="', $i, '">', $i, '</option>';
    $i++;
}
?>
</select>
<p><input type="submit" value="確定"></p>
</form>
<?php require '../footer.php'; ?>
```

スクリプトを実行するには、ブラウザで以下のURLを開きます。

実行　http://localhost/php/chapter4/select-for-input3.php

正しく実行できた場合には、Step2と同様に、[0]から[9]までの選択肢があるセレクトボックスと、[確定]ボタンが表示されます。Step3と同様に、選択肢を選び、[確定]ボタンを選択すると、選んだ個数がメッセージに表示されます。

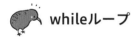

解　説

whileループ

whileループはforループと同様に、繰り返し処理を記述するための構文です。whileループは次のように記述します。whileループは、条件式がTRUEの間は処理を繰り返します。

書式　while

```
while (条件式) {
    繰り返し処理;
}
```

forループと比較してみましょう。

```
for （開始処理； 条件式； 更新処理） {
    繰り返し処理；
}
```

　forループとは異なり、whileループには開始処理や更新処理がありません。もし開始処理や更新処理を記述したい場合には、以下の場所に記述すれば、forループと同じ動作になります。

```
開始処理；
while （条件式） {
    繰り返し処理；
    更新処理；
}
```

　繰り返し処理を行う場合の多くは、開始処理や更新処理を必要とします。このような場合には、開始処理や更新処理を記述する場所があらかじめ用意されている、forループを使うのがおすすめです。
　一方、開始処理や更新処理が不要なループについては、whileループを使うこともできます。Step4のスクリプトについては、開始処理や更新処理があるので、forループを使った方が見通しのよいスクリプトになります。

覚えておこう！

　whileループは条件式がTRUEの間は処理を繰り返します。

4-5

セレクトボックスとループおよび配列

foreachループ

[0]から[9]のような連番ではない、文字列で構成されたセレクトボックスの選択肢をスクリプトで生成してみましょう。配列とforeachループを組み合わせて使います。例題は、商品の色を選択するスクリプトです。

▼ ここでやること

商品の色を選択してください。

イエロー ▼

確定

文字列で構成されたセレクトボックスの選択肢をスクリプトで生成できるようにしましょう。

スクリプトで選択肢を作成する

セレクトボックスと選択肢を配置してみましょう。ここでは「ホワイト」や「ブルー」のような文字列の選択肢を用意して、スクリプトで一括して配置できるようにしています。以下のようなスクリプトを記述します。ファイルはchapter4¥select-foreach-input.phpです。

List select-foreach-input.php `PHP`

```php
<?php require '../header.php'; ?>
<p>商品の色を選択してください。</p>
<form action="select-foreach-output.php" method="post">
<select name="color">
<?php
$color=['ホワイト', 'ブルー', 'レッド', 'イエロー', 'ブラック'];
foreach ($color as $c) {
    echo '<option value="', $c, '">', $c, '</option>';
}
?>
</select>
<p><input type="submit" value="確定"></p>
</form>
<?php require '../footer.php'; ?>
```

スクリプトを実行するには、ブラウザで以下のURLを開きます。

実行 http://localhost/php/chapter4/select-foreach-input.php

正しく実行できた場合には、「ホワイト」や「ブルー」のような色を選択するセレクトボックスと、[確定] ボタンが表示されます。

Fig　色の選択画面

 解　説

 配列を使った選択肢の作成

文字列の選択肢は、次のように\<option\>タグを手作業で記述しても作成することができます。

```
<option value="ホワイト">ホワイト</option>
```

ただし、この方法で複数の選択肢を作るためには、以下のように\<option\>タグをいくつも並べていく必要があります。選択肢が多いと、手作業で記述することが大変になりますし、間違いも入りやすくなります。

```
<option value="ホワイト">ホワイト</option>
<option value="ブルー">ブルー</option>
...
```

そこで配列を使って、選択肢の一覧を簡潔にまとめてみます。配列は、複数の値をまとめて管理するための機能です (p.82)。多くの場合、配列は変数に代入して使います。配列を作成して変数に代入するには、次のように記述します。

書式　配列を作成して変数に代入する

```
変数=[値A, 値B, 値C, ...];
```

122

次のように、複数行に分けて記述することもできます。

書式　配列を作成して変数に代入する（複数行に分ける）

```
変数 = [
        値A,
        値B,
        値C,
        ・・・
]；
```

複数の値を配列に格納したうえで、その配列を変数に代入するイメージです。配列に格納した値は、取り出して計算などに使用することができます。

Fig　配列に値を格納する

Step1のスクリプトでは、$colorという配列（$colorという変数に代入した配列）に選択肢の文字列を格納するため、以下のように記述しています。

```
$color=['ホワイト', 'ブルー', 'レッド', 'イエロー', 'ブラック'];
```

📢 array関数

配列は次のようにarray関数を使って作成することもできます。ここまでに紹介した [ ] を使う方法は、以下を短縮した構文です。

```
$color=array('ホワイト', 'ブルー', 'レッド', 'イエロー', 'ブラック');
```

 **foreachループ**

　配列に格納した文字列を1つずつ取り出して、選択肢を作成します。これは、次のような処理を繰り返します。

Fig　配列から選択肢を作成する

　さらに、配列から取り出した値を格納する変数を使って、より具体的に記述してみます。ここでは配列（を代入した変数）を`$color`、変数を`$c`とします。

Fig　配列と変数を使って選択肢を作成する

　このような繰り返し処理を作成するのに便利なのが、PHPの**foreach**ループです。foreachループは、配列に格納された値を1個ずつ取り出して処理を行えます。foreachループは、配列の値の数だけ繰り返し処理を行い、全ての値に対する処理を行ったらループを抜け出します。

Fig foreachループの動作

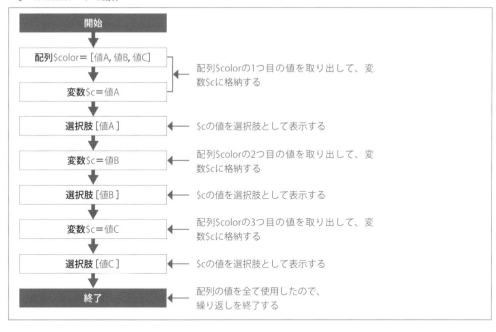

foreachループは次のように記述します。

書式 foreach

```
foreach (配列 as 変数) {
    変数を使った処理;
}
```

foreachループを使って配列$colorから変数$cに値を取り出し、選択肢を作成する処理は、次のように記述します。

Fig foreachループで選択肢を表示する

```
            配列       変数
             ↓        ↓
foreach (  $color  as  $c  ) {
    $cの選択肢を表示する          ←―――  変数を使った処理
}
```

実際のスクリプトは以下の通りです。

```
foreach ($color as $c) {
    echo '<option value="', $c, '">', $c, '</option>';
}
```

上記のスクリプトは、例えば次のような<option>タグを出力します。

```
<option value="ホワイト">ホワイト</option>
```

配列$colorに格納された全ての文字列について、上記のような<option>タグを出力します。

覚えておこう!

foreachループは配列に格納された全ての値に対して繰り返し処理を行います。

選択結果を表示する

選択した色を表示するスクリプトを作成しましょう。以下のようなスクリプトを記述します。
ファイルはchapter4¥select-foreach-output.phpです。

List select-foreach-output.php   PHP

```
<?php require '../header.php'; ?>
<?php
echo '<p>商品の色は「', $_REQUEST['color'], '」</p>';
?>
<?php require '../footer.php'; ?>
```

Step1の入力画面で、セレクトボックスから色を選んでください。例えば、「ブルー」を選びます。

Fig 色の選択

［確定］ボタンを選択すると、選択した色が表示されます。

Fig 選択した色の表示

商品の色は「ブルー」

Step1では、セレクトボックスのname属性をcolorとしました。このセレクトボックスで選んだ選択肢は、$_REQUEST['color']という式で取得できます。

🔊 配列に格納できる値

　配列には文字列だけではなく、いろいろな種類の値を格納できます。以下は配列に数値を格納する例です。

```
[123, 456, 789]
```

　異なる種類の値を混ぜて格納することもできます。例えば、以下はトランプの番号（A、2、3、…、J、Q、K）を格納した配列です。文字列と数値を混ぜて格納しています。

```
['A', 2, 3, 4, 5, 6, 7, 8, 9, 10, 'J', 'Q', 'K']
```

　以下のように、値のかわりに式を記述することも可能です。配列には式の値（式を評価した結果の値）が格納されます。

```
[1/2, 3/4, 5/6, 7/8]
```

　上記の場合、配列には0.5、0.75、0.833…、0.875が格納されます。

4-6

ループおよび
配列のキーと値

foreachループ

「店舗名」と「店舗コード」のような値の組を配列に格納する方法を学びましょう。格納した値の組を、foreachループを使って取り出し、セレクトボックスの選択肢を作成します。例題は、店舗名を入力すると、店舗コードを表示するスクリプトです。

▼ ここでやること

店舗を選択してください。

秋葉原 ▼

確定

店舗名を選択すると、対応する店舗コードが表示されるようにしましょう。

手作業で選択肢を作成する

最初は手作業で、セレクトボックスの選択肢を配置してみましょう。以下のようなスクリプトを記述します。ファイルはchapter4¥store-input.phpです。

このスクリプトでは、Step2との相違点を赤字で示しました。もしスクリプトの入力が大変ならば、ここは省略して、Step2に進んでも大丈夫です。

List store-input.php `PHP`

```php
<?php require '../header.php'; ?>
<p>店舗を選択してください。</p>
<form action="store-output.php" method="post">
<select name="code">
<option value="100">新宿</option>
<option value="101">秋葉原</option>
<option value="102">上野</option>
<option value="200">横浜</option>
<option value="201">川崎</option>
<option value="300">札幌</option>
<option value="400">仙台</option>
<option value="500">名古屋</option>
<option value="600">京都</option>
```

```
<option value="700">博多</option>
</select>
<p><input type="submit" value="確定"></p>
</form>
<?php require '../footer.php'; ?>
```

スクリプトを実行するには、ブラウザで以下のURLを開きます。

実行 http://localhost/php/chapter4/store-input.php

正しく実行できた場合には、[新宿]や[秋葉原]といった選択肢があるセレクトボックスと、[確定]ボタンが表示されます。

Fig　セレクトボックスと確定ボタン

解　説

選択肢の作成

セレクトボックスの選択肢は、これまでの説明と同様に、<option>タグを使って記述します。

```
<option value="100">新宿</option>
```

ここまでに紹介してきた例では、セレクトボックスの選択肢として表示する値と、value属性の値は同一でした。今回は、選択肢として表示する文字列とvalue属性の値が異なります。上記の例では、セレクトボックスには「新宿」と表示されます。一方、スクリプトがリクエストパラメータで取得する値は、value属性に設定された「100」です。

step 2　スクリプトで選択肢を作成する

今度はスクリプトを使って選択肢を配置してみましょう。以下のようなスクリプトを記述します。ファイルはchapter4¥store-input2.phpです。Step1からの変更点を赤字で示しました。

List store-input2.php   PHP

```php
<?php require '../header.php'; ?>
<p>店舗を選択してください。</p>
<form action="store-output.php" method="post">
<select name="code">
<?php
$store=[
    '新宿'=>100, '秋葉原'=>101, '上野'=>102, '横浜'=>200, '川崎'=>201,
    '札幌'=>300, '仙台'=>400, '名古屋'=>500, '京都'=>600, '博多'=>700
];
foreach ($store as $key=>$value) {
    echo '<option value="', $value, '">', $key, '</option>';
}
?>
</select>
<p><input type="submit" value="確定"></p>
</form>
<?php require '../footer.php'; ?>
```

スクリプトを実行するには、ブラウザで以下のURLを開きます。

実行 http://localhost/php/chapter4/store-input2.php

正しく実行できた場合には、Step1と同様に、[新宿]や[秋葉原]といった選択肢があるセレクトボックスと、[確定]ボタンが表示されます。

 解　説

 配列のキーと値

今回のスクリプトで配列に格納したいのは、次のような「店舗名」と「店舗コード」の組み合わせです。

▶ 新宿　：100

▶ 秋葉原：101

▶ 上野　：102

　…

PHPの配列には、キーと値の組を格納する機能があります。上記の例では、店舗名（新宿など）がキー、店舗コード（100など）が値となります。この仕組みを利用することで、キーを指定すると組になった値を取得することができます。

配列にキーと値の組み合わせを格納するには、=>を使って次のように記述します。

4

4-6

▼

ループおよび配列のキーと値　foreachループ

📘 **書 式** **配列にキーと値を格納する**

```
変数=[
    キーA => 値A,
    キーB => 値B,
    キーC => 値C,
    ...
];
```

次のように、1行にまとめて記述することもできます。

📘 **書 式** **配列にキーと値を格納する（1行にまとめる）**

```
変数=[キーA => 値A, キーB => 値B, キーC => 値C, ...];
```

Step2のスクリプトでは、店舗名と店舗コードの組み合わせを配列に格納し、$storeという変数に代入します。

Fig　**配列に店舗名と店舗コードを格納する**

```
                    ──────変数
$store  =[
    '新宿'    => 100,
    '秋葉原'  => 101,  ◀────値
    '上野'    => 102,
    ...    ◀──────キー
];
```

実際のスクリプトでは、行数を少なくするために、一部の改行を省いて以下のように記述しています。

```
$store=[
    '新宿'=>100, '秋葉原'=>101, '上野'=>102, '横浜'=>200, '川崎'=>201,
    '札幌'=>300, '仙台'=>400, '名古屋'=>500, '京都'=>600, '博多'=>700
];
```

覚えておこう！

配列にはキーと値の組を格納することができます。

連想配列

多くのプログラミング言語において、配列の要素を指定するには「0, 1, 2, ...」といった整数を使います。このような整数のことを添字（そえじ）と呼びます。一方で、整数のかわりに文字列を使って要素を指定できるようにした配列のことを、連想配列と呼びます。

PHPの配列は、添字を使った一般的な配列の機能と、連想配列の機能を兼ね備えています。PHPにおいては、配列のキーに整数も文字列も使用することができ、両者を混在させることもできます。

 foreachループを使ったキーと値の取り出し

配列に格納した店舗名と店舗コードを1つずつ取り出して、以下のような<option>タグを生成します。

```
<option value="店舗コード">店舗名</option>
```

配列では、店舗名がキー、店舗コードが値です。これらを取り出すには、foreachループを次のように記述します。先に紹介したforeachループの書式（p.125）との違いは、asの後を「変数」ではなく「キーの変数=>値の変数」とするところです。

書式　foreachループで配列のキーと値を取り出す

```
foreach (配列 as キーの変数 => 値の変数) {
    キーの変数と値の変数を使った処理;
}
```

Fig　キーと値の組を変数に格納する

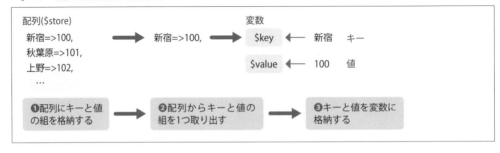

配列を$store、キーの変数を$key、値の変数を$valueとすると、実際のスクリプトは以下の通りになります。

```
foreach ($store as $key=>$value) {
    echo '<option value="', $value, '">', $key, '</option>';
}
```

配列からキーと値の組を1つずつ取り出し、それぞれを変数に格納します。あとは、変数に格納されたキーと値を<option>タグとして出力します。

例えば、「新宿」と「100」という組み合わせを取り出すと、$keyに新宿、$valueに100が設定されます。これらの変数を使って、以下のようなタグを出力します。

```
<option value="100">新宿</option>
```

step3 選択した店舗コードを表示する

選択した店舗に対応する店舗コードを表示するスクリプトを作成しましょう。以下のようなスクリプトを記述します。ファイルは**chapter4¥store-output.php**です。

List store-output.php   `PHP`

```php
<?php require '../header.php'; ?>
<?php
echo '店舗コードは', $_REQUEST['code'], 'です。';
?>
<?php require '../footer.php'; ?>
```

Step1またはStep2の入力用のフォーム画面で、セレクトボックスから店舗名を選び、[確定]ボタンを選択します。店舗名に対応した店舗コードが表示されます。

Fig　店舗コードの表示

Step1とStep2において、セレクトボックスのname属性をcodeとしました。このセレクトボックスで選んだ選択肢は、$_REQUEST['code']という式で取得できます。

セレクトボックスのリクエストパラメータから取得できるのは、<option>タグのvalue属性に設定した値です。ここではStep1やStep2で設定した店舗コードを取得し、メッセージとして画面に表示しています。

4-7

複数のチェックボックス と ループ

foreachループ

複数選択が可能なチェックボックスを配置する方法と、選択したチェックボックスの一覧をスクリプトから取得する方法を学びましょう。チェックボックスの配置にも、選択内容の取得にも、foreachループを利用します。例題は、複数の商品ジャンルから、興味のあるジャンルを選択するスクリプトです。

▼ **ここでやること**

	ご興味のある商品ジャンルを全て選んでください。
	☐ カメラ
	☑ パソコン
	☐ 時計
	☐ 家電
	☑ 書籍
	☐ 文房具
	☐ 食品
	[確定]

> チェックボックスで選択した項目を取得して一覧で表示できるようにしましょう。

step 1 複数のチェックボックスを配置する

スクリプトを使って、複数のチェックボックスをまとめて配置してみましょう。以下のようなスクリプトを記述します。ファイルは**chapter4￥checks-input.php**です。

List checks-input.php `PHP`

```php
<?php require '../header.php'; ?>
<p>ご興味のある商品ジャンルを全て選んでください。</p>
<form action="checks-output.php" method="post">
<?php
$genre=['カメラ', 'パソコン', '時計', '家電', '書籍', '文房具', '食品'];
foreach ($genre as $item) {
    echo '<p>';
    echo '<input type="checkbox" name="genre[]" value="', $item, '">';
    echo $item;
    echo '</p>';
}
```

```
?>
<p><input type="submit" value="確定"></p>
</form>
<?php require '../footer.php'; ?>
```

スクリプトを実行するには、ブラウザで以下のURLを開きます。

実行 http://localhost/php/chapter4/checks-input.php

正しく実行できた場合には、[カメラ] や [パソコン] といった複数のチェックボックスと、[確定] ボタンが表示されます。

Fig チェックボックスと [確定] ボタン

 解 説

 チェックボックスの作成

配列とforeachループを使って、複数のチェックボックスを作成します。4-5（p.121）のように、セレクトボックスの選択肢を作成する方法に似ています。

最初に、チェックボックスの横に表示する文字列の一覧を、配列に格納します。表示するのは商品ジャンルなので、配列を代入する変数は$genreとしました。

```
$genre=['カメラ', 'パソコン', '時計', '家電', '書籍', '文房具', '食品'];
```

配列$genre（$genreに代入した配列）から値を1つずつ取り出して、チェックボックスを作成します。値を取り出す変数は$itemとしました。

```
foreach ($genre as $item) {
    ...
}
```

 ## チェックボックスの属性

以下はチェックボックスを作成する処理です。

```
echo '<input type="checkbox" name="genre[]" value="', $item, '">';
```

チェックボックスを作成するには、<input>タグを使い、type属性をcheckboxにします。value属性は「カメラ」などの商品ジャンル名にしました。下記は作成するチェックボックスの例です。

```
<input type="checkbox" name="genre[]" value="カメラ">
```

チェックボックスを1つだけ配置する場合とは異なり、name属性で指定するチェックボックス名の最後に[]を付けます。ここではジャンルを表すgenreの後に [] を付けて、genre[]としました。全てのチェックボックスについて、name属性をgenre[]とします。[]を付けることで、値を配列で取得することができます。

```
<input type="checkbox" name="genre[]" value="パソコン">
<input type="checkbox" name="genre[]" value="時計">
...
```

チェックボックスは、name属性の値がリクエストパラメータ名となります。チェックボックスをチェックすると、value属性の値がリクエストパラメータに設定されます。name属性に[ ]を付けることにより、配列を使って複数の値を取得することが可能になります。

Fig　name属性に配列を指定する

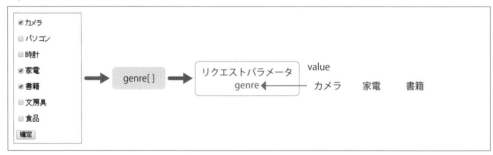

選択されたチェックボックスの一覧を取得する

選択されたチェックボックスの一覧を表示するスクリプトを作成しましょう。以下のようなスクリプトを記述します。ファイルはchapter4¥checks-output.phpです。

List checks-output.php `PHP`

```php
<?php require '../header.php'; ?>
<?php
foreach ($_REQUEST['genre'] as $item) {
    echo '<p>', $item, '</p>';
}
echo 'に関するお買い得情報をお送りさせて頂きます。';
?>
<?php require '../footer.php'; ?>
```

Step1の入力画面で、チェックボックスにチェックを付けて[確定]ボタンを選択すると、チェックした項目の一覧が表示されます。例えば[パソコン]と[書籍]をチェックして[確定]ボタンを選択すると、「パソコン」と「書籍」が表示されます。

Fig チェックされた項目の一覧を表示する

 チェックされた項目の一覧の取得

チェックされた項目の一覧は、チェックボックス名に対応したリクエストパラメータに設定され

ます。チェックボックス名がgenre[]の場合、リクエストパラメータ名は「genre」で、$_REQU
EST['genre']で取得できます。

このリクエストパラメータは配列になっています。foreachループを組み合わせると、チェック
された項目の一覧を1つずつ取り出して処理することができます。以下のスクリプトでは、取り出
した項目は変数$itemに格納されます。

```php
foreach ($_REQUEST['genre'] as $item) {
...
}
```

取得した項目は、チェックボックスのvalue属性に設定した文字列です。ここでは取得した「パ
ソコン」や「書籍」といった文字列を、画面に表示します。

🔊 どの項目もチェックしなかった場合への対応

このサンプルでは、どの項目もチェックしなかった場合はエラーが表示されます。4-1で紹介したif文
とisset関数を使って、次のようにスクリプトを変更すると、エラーが表示されないようにすることがで
きます。

```php
<?php require '../header.php'; ?>
<?php
if (isset($_REQUEST['genre'])) {
    foreach ($_REQUEST['genre'] as $item) {
        echo '<p>', $item, '</p>';
    }
    echo 'に関するお買い得情報をお送りさせて頂きます。';
}
?>
<?php require '../footer.php'; ?>
```

Chapter 4 のまとめ

本章ではPHPにおける条件分岐（if、switch）やループ（for、while、foreach）の文法を学びま
した。ループに関しては、配列と組み合わせて使用する方法も解説しました。そして、チェック
ボックス・ラジオボタン・セレクトボックスといったコントロールを操作する方法も学びました。
次章では、PHPが提供するいろいろな関数について学びます。

関数を使いこなす

関数(かんすう)とは、プログラミングで利用するいろいろな機能をあらかじめ用意しておき、簡単に呼び出して使えるようにしたものです。

PHPには、多くの便利な関数があらかじめ用意されています。プログラマが独自の関数を作ることもできます。本章では、実用的な関数を使ったサンプルを紹介しながら、PHPに用意された関数の使い方を学びます。

5-1

現在の日時を表示する

date関数

Webページに現在の日時を表示してみましょう。date関数を使って、現在の日時を指定した形式で表示する方法について学びます。

▼ここでやること

PHP	2022/07/28 16:44:06
PHP	2022年07月28日 16時44分06秒

スクリプトが実行された瞬間の日時を取得してWebページ上に表示できるようにしましょう。

日時を取得して表示する

現在の日時を表示しましょう。以下のようなスクリプトを記述します。ファイルは**chapter5¥date.php**です。

スクリプトは、**c:¥xampp¥htdocs¥php**フォルダ（macOSの場合は**/Applications/MAMP/htdocs/php**フォルダ）の下に、**chapter5**フォルダを作成して、そのなかに保存します（p.37）。また、XAMPP（p.26）またはMAMP（p.34）からApacheを起動しておいてください。

List date.php `PHP`

```php
<?php require '../header.php'; ?>
<?php
date_default_timezone_set('Japan');
echo '<p>', date('Y/m/d H:i:s'), '</p>';
echo '<p>', date('Y年m月d日 H時i分s秒'), '</p>';
?>
<?php require '../footer.php'; ?>
```

スクリプトを実行するには、ブラウザで以下のURLを開きます。

実行 http://localhost/php/chapter5/date.php

正しく実行できた場合には、現在の日時が2種類の形式で表示されます。

Fig　日時の表示

 2022/07/28 16:50:25
2022年07月28日 16時50分25秒

解　説

関数の呼び出し

　関数を実行することを、関数を呼び出すと表現します。関数を呼び出すときには、以下のように
記述します。

> **書式**　関数の呼び出し
>
> 関数名 (引数)

引数

　引数は「ひきすう」と読みます。引数は関数に渡す情報です。関数は引数を受け取って、その情
報を演算や表示などに使います。同じ関数の呼び出しでも引数の値が異なれば動作が変わることが一
般的です。

　関数によって、引数の個数や、各引数の役割が決まっています。引数が複数ある場合には、以下
のように「,」で区切って記述します。

> **書式**　関数の呼び出し（複数の引数を指定）
>
> 関数名 (引数1,　引数2,　...)

覚えておこう！

　　　関数は引数を指定して実行します。

戻り値

　関数の実行が終了すると、関数は処理の結果の値を呼び出し元に返します。この値のことを戻り
値と呼びます。戻り値は「もどりち」と読みます。戻り値と同じ意味で、返り値（かえりち）という

言葉を使うこともあります。

　関数呼び出しは、式のなかに記述することもできます。関数の実行が終わると、関数呼び出しである、関数名(引数)という部分が戻り値に変化します。例えば、1+関数名(引数)+2という式において、戻り値が「3」ならば、1+3+2という式に変化します。

Fig　戻り値を使って処理を実行する

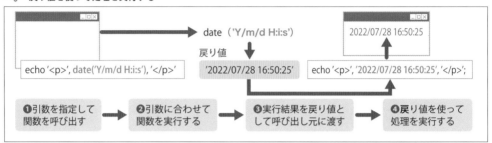

覚えておこう！

関数は引数を渡して実行し、実行結果は戻り値として呼び出し元に渡されます。

タイムゾーンの設定

　現在の日時を取得する際には、タイムゾーンを指定する必要があります。タイムゾーンとは、共通の標準時を使う地域のことです。現在地あるいは取得したい地域に合わせてタイムゾーンを指定します。

　PHPでタイムゾーンを設定するには、date_default_timezone_set関数を呼び出します。

書式　date_default_timezone_set

```
date_default_timezone_set(タイムゾーン)
```

　例えば日本の日時を取得したい場合には、引数のタイムゾーンにJapanという文字列を指定します。

```
date_default_timezone_set('Japan')
```

関数の副作用

date_default_timezone_set関数を実行すると、スクリプト内で用いるタイムゾーンを設定します。この関数は設定に成功するとTRUEを返し、失敗するとFALSEを返しますが、今回のスクリプトでは戻り値を使用していません。一方、この関数を実行することで、「スクリプト内で用いるタイムゾーンが設定される」という副作用が得られます。

このように、関数の戻り値は使用せずに、関数を実行した際に得られる副作用だけを目的に、関数を呼び出す場合があります。また関数のなかには、そもそも戻り値に意味がなく、常にNULLを返すものもあります。戻り値を持たない関数は、その副作用だけを目的として呼び出します。

 日時の表示

日時を表示するには、date関数を使います。

書式 date

```
date(フォーマット)
```

date関数は現在の日時を取得し、フォーマットで指定した形式に基づいて整形し、文字列として返します。フォーマットに使用できる文字のうち、サンプルで使用したものを紹介します。他の文字については、以下に示すPHPのマニュアルでdate関数を調べてみてください。

▶ PHPマニュアル
URL https://php.net/manual/ja/

Table date関数のフォーマット（一部）

文字	説明
Y	年。4桁の数字
m	月。2桁の数字。先頭にゼロを付ける
d	日。2桁の数字。先頭にゼロを付ける
H	時。2桁の数字。先頭にゼロを付ける。24時間単位
i	分。2桁の数字。先頭にゼロを付ける
s	秒。2桁の数字。先頭にゼロを付ける

例えば、date('Y/m/d H:i:s')のようなdate関数の呼び出しは、「2022/07/28 16:50:25」のような文字列を返します。一方、date('Y年m月d日 H時i分s秒')のような呼び出しは、「2022年07月28日 16時50分25秒」のような文字列を返します。

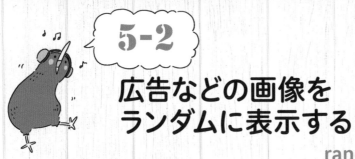

5-2 広告などの画像をランダムに表示する

rand関数

乱数というのは、ランダムな数のことです。乱数は「らんすう」と読みます。乱数は、生成するたびに異なる数値が得られます。乱数を生成するrand関数を使って、ランダムな数を表示してみましょう。指定した範囲の乱数を得る方法や、乱数を使ってランダムな画像を表示する方法も紹介します。

▼ここでやること

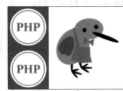

乱数を生成する関数を利用して、ランダムな数値や画像を表示してみましょう。

step 1 乱数を生成する

乱数を生成し、画面に表示してみましょう。以下のようなスクリプトを記述します。ファイルはchapter5¥rand.phpです。

List rand.php   `PHP`

```php
<?php require '../header.php'; ?>
<?php
echo rand();
?>
<?php require '../footer.php'; ?>
```

スクリプトを実行するには、ブラウザで以下のURLを開きます。

実行 http://localhost/php/chapter5/rand.php

正しく実行できた場合には、ランダムな数が表示されます。ランダムなので、本書の実行画面とは結果が異なる場合があります。

Fig 乱数の表示

651122977

ブラウザでページを更新してみてください。異なる乱数が表示されます。

Fig 異なる乱数の表示

240338317

解　説

rand関数

　ランダムな数を取得するために用意されているのが、rand関数です。引数を指定せずにrand関数を呼び出すと、0以上、乱数の最大値以下の乱数を返します。

書式　rand

```
rand()
```

　乱数の最大値は実行する環境ごとに異なります。最大値は、getrandmax関数で取得することができます。

書式　getrandmax

```
getrandmax()
```

　筆者の環境では、乱数の最大値は18178297232147483647でした。したがって、rand関数は0以上18178297232147483647以下の乱数を返します。

覚えておこう！

　rand関数でランダムな数値を取得することができます。

145

指定した範囲の乱数を生成する

サイコロのように1から6までの乱数を生成し、画面に表示してみましょう。rand関数では、生成する値の範囲を引数で指定することができます。

以下のようなスクリプトを記述します。ファイルは**chapter5¥rand2.php**です。Step1との相違点を赤字で示しました。

List rand2.php — PHP

```php
<?php require '../header.php'; ?>
<?php
echo rand(1, 6);
?>
<?php require '../footer.php'; ?>
```

スクリプトを実行するには、ブラウザで以下のURLを開きます。

実行　http://localhost/php/chapter5/rand2.php

正しく実行できた場合には、1から6までの範囲内で、ランダムな数が表示されます。

Fig　1から6までの乱数の表示

ブラウザで何度かページを更新してみて、1から6までの乱数が生成されていることを確認してください。

 解　説

 rand関数の引数

引数を指定してrand関数を呼び出すと、乱数の範囲を指定することができます。

書式　rand（範囲を指定）

```
rand（最小値，最大値）
```

最小値以上、最大値以下の乱数を生成します。例えばサイコロのように、1から6までの乱数を生成したいときには、rand(1, 6)のように「1」と「6」を指定します。

Step 3 画像をランダムに表示する

複数の画像のなかから1枚をランダムに選んで、画面に表示してみましょう。これは、広告画像をランダムに選んで表示する場合などに利用できます。

以下のようなスクリプトを記述します。ファイルはchapter5¥rand3.phpです。Step2との相違点を赤字で示しました。

List 🥝 rand3.php `PHP`

```php
<?php require '../header.php'; ?>
<?php
echo '<img alt="image" src="item', rand(0, 2), '.png">';
?>
<?php require '../footer.php'; ?>
```

スクリプトを実行するには、ブラウザで以下のURLを開きます。

実行 http://localhost/php/chapter5/rand3.php

実行する際には、スクリプトと同じフォルダに画像ファイルを保存しておきます。画像ファイル名は「item0.png」のように、itemに続いて連番で数字を入れてください。画像形式は「.png」です。

正しく実行できた場合には、0から2までの乱数が生成され、対応した画像が表示されます。

Fig 画像の表示

サンプルの画像ファイルは、次の3種類です。

▶ item0.png（キーウィ）
▶ item1.png（シェフキーウィ）
▶ item2.png（ウェイターキーウィ）

サンプルデータには、これらの画像も含まれています。本書のダウンロードページ（p.15）からダウンロードして、スクリプトと同じフォルダに保存しておいてください。そのうえでブラウザで何度かページを更新してみて、これらの画像が表示されることを確認してください。

 解　説

 画像ファイル名の生成

HTMLで画像を表示するには、<img>タグを使用して以下のように記述します。これはitem0.pngを表示する場合です。なお、alt属性には画像の説明を書きますが、ここでは簡単に「image」（イメージ）と書きました。

```
<img alt="image" src="item0.png">';
```

item0.pngの「0」の部分を乱数を使って変化させれば、ランダムな画像を表示させることができます。0以上2以下の乱数は、rand(0, 2)とすることで生成できます。

この乱数を、<img>タグの生成に使います。

```
echo '<img alt="image" src="item', rand(0, 2), '.png">';
```

これで「item0.png」「item1.png」「item2.png」がランダムに表示されます。

乱数の便利な使い方

rand()のように引数を渡さない場合、実行環境によっては、rand関数が生成する乱数の最大値が、32767のような比較的小さな値のことがあります。もし、こういった環境において、例えば0以上100000以下のように、広い範囲の乱数を生成したい場合には、rand(0, 100000)のように、引数で乱数の範囲を指定します。

また、偶数や奇数の乱数だけを生成したいときには、次のようにします。例えば2以上10以下の、偶数の乱数だけを生成するには、rand(1, 5)*2とすれば得られます。1以上9以下の奇数の乱数だけを生成するには、rand(1, 5)*2-1とするか、rand(0, 4)*2+1とすれば得られます。

5-3 入力された文字列の 形式をチェックする
preg_match関数、正規表現

正規表現というのは、文字列のパターンマッチングに用いる記法です。文字列が正規表現で指定した形式に該当しているかどうかを調べることができます。正規表現によるパターンマッチングを行うpreg_match関数を使って、入力された郵便番号が適切な形式かどうかを調べるスクリプトを作成しましょう。

▼ ここでやること

郵便番号が正しく入力されているかどうかを、正規表現でチェックしましょう。

Step 1 郵便番号の入力画面を作成する

郵便番号を入力するフォーム画面を用意しましょう。以下のようなスクリプトを記述します。ファイルは**chapter5¥postcode-input.php**です。

postcode-input.php

```php
<?php require '../header.php'; ?>
<p>7桁の郵便番号をハイフンなしで入力してください。</p>
<form action="postcode-output.php" method="post">
<input type="text" name="postcode">
<input type="submit" value="確定">
</form>
<?php require '../footer.php'; ?>
```

スクリプトを実行するには、ブラウザで以下のURLを開きます。

実行 http://localhost/php/chapter5/postcode-input.php

正しく実行できた場合には、郵便番号の入力欄と、[確定]ボタンが表示されます。

Fig　郵便番号の入力画面

<input>タグを用いてテキストボックスを作成し、郵便番号の入力欄にします。郵便番号なので、name属性の値（リクエストパラメータ名）はpostcodeとしました。

```
<input type="text" name="postcode">
```

 step 2

正規表現を使って形式を確認する

入力した郵便番号を確認して、正しい形式かどうかのメッセージを表示しましょう。以下のようなスクリプトを記述します。ファイルはchapter5¥postcode-output.phpです。

List　postcode-output.php PHP

```php
<?php require '../header.php'; ?>
<?php
$postcode=$_REQUEST['postcode'];
if (preg_match('/^[0-9]{7}$/', $postcode)) {
    echo '郵便番号', $postcode, 'を確認しました。';
} else {
    echo $postcode, 'は適切な郵便番号ではありません。';
}
?>
<?php require '../footer.php'; ?>
```

スクリプトを実行するには、Step1の入力画面において郵便番号を入力し、[確定]ボタンを選択します。7桁の郵便番号をハイフンなしで入力した場合には、郵便番号を確認したというメッセージが表示されます。

Fig　形式が適切な場合

形式が不適切な場合には、適切な郵便番号ではないというメッセージが表示されます。

Fig　形式が不適切な場合

preg_match関数

preg_match関数を利用することで、正規表現によるパターンマッチングが行えます。

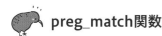

```
preg_match(パターン, 入力文字列)
```

引数に指定したパターンに入力文字列がマッチすると、preg_match関数は「1」を返します。マッチしなかった場合には、「0」を返します。

if文などの条件式でpreg_match関数を使った場合、「1」はTRUE、「0」はFALSEとして扱われます。0以外の整数は、全てTRUE扱いになります。

引数のパターンは正規表現を用いて記述します。7桁ハイフンなしの郵便番号を表すパターンは、^[0-9]{7}$のように記述できます。

このパターンの意味は次の通りです。

^　　　：行頭
[0-9]：0から9までの数字1文字
{7}　：直前の文字が7文字続く
$　　　：行末

つまりこのパターンは、行頭から行末まで、0から9までの数字が7文字続く、という形式を表しています。このパターンを'/と/'で囲んで、'/^[0-9]{7}$/'のようにした文字列を、preg_match関数の引数に指定します。

テキストボックスに入力された郵便番号は、リクエストパラメータに設定されます（p.69）。Step2のスクリプトでは、リクエストパラメータが格納された変数$_REQUESTを用いて、入力された郵便番号を取得し、変数$postcodeに代入します。

```php
$postcode=$_REQUEST['postcode'];
```

前述のパターンと、入力文字列を代入した$postcodeを引数に指定して、preg_match関数を呼び出します。

```php
preg_match('/^[0-9]{7}$/', $postcode)
```

さらに、if-else文（p.91）と組み合わせて、preg_match関数の戻り値に応じて分岐し、異なるメッセージを表示します。

```php
if (preg_match('/^[0-9]{7}$/', $postcode)) {
```

ここでは、if文の条件にpreg_match関数を指定して、パターンマッチングの結果が「1」つまりTRUEの場合はifの処理を実行し、「0」つまりFALSEの場合はelseの処理を実行しています。

入力画面を作成する（ハイフンあり）

正規表現を少し変更して、ハイフンありで入力した郵便番号を処理できるようにしてみましょう。まずは郵便番号を入力する画面を用意するために、以下のようなスクリプトを記述します。ファイルはchapter5¥postcode-input2.phpです。

Step1との相違点を赤字で示します。表示するメッセージと、action属性に指定する出力用のスクリプト以外は、ハイフンなしと同じです。

List postcode-input2.php `PHP`

```php
<?php require '../header.php'; ?>
<p>7桁の郵便番号をハイフンありで入力してください。</p>
<form action="postcode-output2.php" method="post">
<input type="text" name="postcode">
<input type="submit" value="確定">
</form>
<?php require '../footer.php'; ?>
```

スクリプトを実行するには、ブラウザで以下のURLを開きます。

実行 http://localhost/php/chapter5/postcode-input2.php

正しく実行できた場合には、Step1と同様に、郵便番号の入力欄と[確定]ボタンが表示されます。一方、入力を求めるメッセージが「ハイフンあり」に変わっています。

Fig 郵便番号の入力画面

正規表現による形式の確認（ハイフンあり）

入力された郵便番号の形式を確認して、正しい形式かどうかのメッセージを表示しましょう。以下のようなスクリプトを記述します。ファイルはchapter5¥postcode-output2.phpです。Step2との相違点を赤字で示します。

List postcode-output2.php `PHP`

```php
<?php require '../header.php'; ?>
<?php
$postcode=$_REQUEST['postcode'];
if (preg_match('/^[0-9]{3}-[0-9]{4}$/', $postcode)) {
    echo '郵便番号', $postcode, 'を確認しました。';
} else {
    echo $postcode, 'は適切な郵便番号ではありません。';
}
?>
<?php require '../footer.php'; ?>
```

スクリプトを実行するには、Step3の入力画面において郵便番号を入力し、[確定]ボタンを選択します。7桁の郵便番号をハイフンありで入力した場合には、郵便番号を確認したというメッセージが表示されます。

Fig 形式が適切な場合

入力形式が不適切な場合には、適切な郵便番号ではないというメッセージが表示されます。

Fig　形式が不適切な場合

123-456-789は適切な郵便番号ではありません。

解　説

 正規表現の変更

　Step2とStep4のスクリプトはほとんど同じで、正規表現だけが異なります。7桁ハイフンあり
の郵便番号を表すパターンは、^[0-9]{3}-[0-9]{4}$のように記述できます。

　このパターンの意味は次の通りです。

^	：行頭
[0-9]	：0から9までの数字1文字
{3}	：直前の文字が3文字続くことを表す
-	：ハイフン
[0-9]	：0から9までの数字1文字
{4}	：直前の文字が4文字続くことを表す
$	：行末

　上記のパターンは「123-4567」のような形式を表します。パターンを'/と/'で囲んだ文字列を
引数に指定して、preg_match関数を呼び出します。

```
preg_match('/^[0-9]{3}-[0-9]{4}$/', $postcode)
```

入力されたパスワードが適切かどうかを判定する

preg_match関数、パスワード

正規表現によるパターンマッチングを使って、指定されたパスワードが適切かどうかを判定するスクリプトを作成しましょう。「8文字以上で、英小文字、英大文字、数字を各1文字以上含む」というルールを、正規表現を使って記述します。

▼ ここでやること

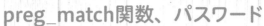

PHP　パスワードを入力してください。
　　　（8文字以上で、英小文字、英大文字、数字を各1文字以上含むこと）

PHP　●●●●●●●　｜確定｜

↓

PHP　パスワード「Pass1234」を確認しました。

> 入力されたパスワードの形式が適切かどうかを判定する処理を作成しましょう。

step 1　パスワードの入力画面を作成する

　パスワードを入力するフォーム画面を用意しましょう。以下のようなスクリプトを記述します。ファイルは**chapter5¥password-input.php**です。

List　**password-input.php**　　　　　　　　　　　　　　　　　　`PHP`

```php
<?php require '../header.php'; ?>
<p>パスワードを入力してください。</p>
<p>（8文字以上で、英小文字、英大文字、数字を各1文字以上含むこと）</p>
<form action="password-output.php" method="post">
<input type="password" name="password">
<input type="submit" value="確定">
</form>
<?php require '../footer.php'; ?>
```

　スクリプトを実行するには、ブラウザで以下のURLを開きます。

実行　http://localhost/php/chapter5/password-input.php

正しく実行できた場合には、パスワードの入力欄と、[確定]ボタンが表示されます。

Fig　パスワードの入力画面

パスワードの入力欄は、<input>タグを用いて作成します。

```
<input type="password" name="password">
```

type属性をpasswordにすると、パスワード入力欄になり、入力した文字列が画面に表示されなくなります。name属性（リクエストパラメータ名）もpasswordとしました。

覚えておこう！

<input>タグのtype属性をpasswordにするとパスワード入力欄になります。

step
2

正規表現を使って形式を確認する

入力したパスワードを正規表現で判定して、正しい形式かどうかのメッセージを表示しましょう。以下のようなスクリプトを記述します。ファイルはchapter5¥password-output.phpです。

List　password-output.php `PHP`

```php
<?php require '../header.php'; ?>
<?php
$password=$_REQUEST['password'];
if (preg_match('/^(?=.*[a-z])(?=.*[A-Z])(?=.*[0-9])[a-zA-Z0-9]{8,}$/',
    $password)) {
    echo 'パスワード「', $password, '」を確認しました。';
} else {
    echo 'パスワード「', $password, '」は適切ではありません。';
}
?>
<?php require '../footer.php'; ?>
```

スクリプトを実行するには、Step1の入力画面においてパスワードを入力し、［確定］ボタンを選択します。例えば「Pass1234」のようなパスワードを入力すると、形式が適切だというメッセージが表示されます。

Fig　形式が適切な場合

パスワード「Pass1234」を確認しました。

　「password」のようなパスワードだと、形式が不適切だというメッセージが表示されます。8文字以上で、英小文字、英大文字、数字を各1文字以上含むパスワードが、適切と判定されます。

Fig　形式が不適切な場合

パスワード「password」は適切ではありません。

解　説

 パスワードの正規表現

パスワードの判定に用いるパターンは、以下のように少し複雑です。

```
^(?=.*[a-z])(?=.*[A-Z])(?=.*[0-9])[a-zA-Z0-9]{8,}$
```

このパターンの意味は次の通りです。

`^`	：**行頭**
`(?=.*[a-z])`	：**英小文字（aからz）を含む**
`(?=.*[A-Z])`	：**英大文字（AからZ）を含む**
`(?=.*[0-9])`	：**数字（0から9）を含む**
`[a-zA-Z0-9]`	：**英小文字、英大文字、数字のいずれか1文字**
`{8,}`	：**直前の文字が8文字以上続く**
`$`	：**行末**

　Step2のスクリプトでは、入力されたパスワードをリクエストパラメータとして取得し、変数$passwordに代入します。通常のテキストボックスと同様に、パスワードの入力欄に入力された内容も、リクエストパラメータとして送信されます。

```
$password=$_REQUEST['password'];
```

　前述のパターンと、入力文字列を代入した変数$passwordを指定して、preg_match関数
（p.151）を呼び出します。ここでは、if-else文（p.91）と組み合わせて、preg_match関数の戻り
値に応じて分岐し、異なるメッセージを表示しています。

```
if (preg_match('/^(?=.*[a-z])(?=.*[A-Z])(?=.*[0-9])[a-zA-Z0-9]{8,}$/',
    $password)) {
```

正規表現

　サンプルで使った正規表現について、より詳しく説明します。
　まずは「.」と「*」です。「.」は任意の1文字を表します。「*」は直前の文字の0回以上の繰り返しです。両
者を組み合わせた「.*」は、任意の文字を0文字以上繰り返すことを表します。
　[]で囲まれた部分は文字クラスと呼ばれ、文字の集合を表します。「-」で範囲を表すことができます。
例えば[a-z]は、1文字の英小文字を表します。
　[0-9]は1文字の数字を表しますが、¥dという簡略な記法も用意されています。この記法を使うと、ハ
イフンなしの7桁の郵便番号を表す正規表現は^¥d{7}$のように書けます。ハイフンありの場合は
^¥d{3}-¥d{4}$です。5-3のスクリプトを書き換えて、実際に動かしてみてください。

5-5
フリガナを半角から全角に変換する
mb_convert_kana関数

半角カタカナで入力された文字列を全角カタカナに変換するスクリプトを作成しましょう。例えばフリガナを入力するときに、入力自体は半角と全角のいずれでもできますが、結果は全角に統一することができます。

▼ ここでやること

半角や全角で入力された文字列を全角に統一して、処理しやすくしましょう。

step 1 入力画面を作成する

フリガナを入力するフォーム画面を用意しましょう。以下のようなスクリプトを記述します。ファイルは**chapter5¥zenhan-kana-input.php**です。

List 🥝 zenhan-kana-input.php `PHP`

```php
<?php require '../header.php'; ?>
<p>お名前のフリガナを入力してください。</p>
<form action="zenhan-kana-output.php" method="post">
<input type="text" name="furigana">
<input type="submit" value="確定">
</form>
<?php require '../footer.php'; ?>
```

スクリプトを実行するには、ブラウザで以下のURLを開きます。

実行 http://localhost/php/chapter5/zenhan-kana-input.php

正しく実行できた場合には、フリガナの入力欄と、[確定]ボタンが表示されます。

Fig　フリガナの入力画面

フリガナの入力欄は、<input>タグを用いて作成します。type属性はtextにして、テキストボックスにします。name属性（リクエストパラメータ名）はfuriganaとしました。

```
<input type="text" name="furigana">
```

 ## 半角から全角へ変換する

入力されたフリガナを取得し、それが半角カタカナの場合、全角カタカナに変換してメッセージに表示するようにしましょう。以下のようなスクリプトを記述します。ファイルはchapter5¥zenhan-kana-output.phpです。

List　zenhan-kana-output.php `PHP`

```php
<?php require '../header.php'; ?>
<?php
echo 'フリガナは「', mb_convert_kana($_REQUEST['furigana']), '」です。';
?>
<?php require '../footer.php'; ?>
```

スクリプトを実行するには、Step1の入力画面においてフリガナを入力し、[確定]ボタンを選択します。例えば「ﾏﾂｳﾗ ｹﾝｲﾁﾛｳ」のような半角カタカナを入力すると、「マツウラ ケンイチロウ」のような全角カタカナに変換されます。

Fig　半角から全角への変換

全角カタカナで入力した場合には、変換は行われず、元のままの全角カタカナになります。また、カタカナ以外を入力した場合も、そのまま表示されます。半角カタカナとそれ以外の文字を混ぜて入力した場合は、半角カタカナの部分だけが全角カタカナに変換されます。

mb_convert_kana関数

　mb_convert_kana関数は、PHPのマルチバイト文字列関数の一種です。マルチバイト文字列関数とは、日本語の文字など、コンピュータの内部で複数のバイトを使って表現する文字列に対して、いろいろな機能を提供する関数です。マルチバイト文字列関数は、関数名の先頭に「mb」が付いています。

　mb_convert_kana関数を次のように呼び出すと、文字列に含まれる半角カタカナを、全角カタカナに変換します。

書式	mb_convert_kana

```
mb_convert_kana (文字列)
```

　半角カタカナで濁点や半濁点を使うと2文字を使いますが、全角カタカナに変換した際には1文字にします。例えば半角で2文字の「ﾋﾟ」は、全角で1文字の「ピ」に変換します。

　Step2のスクリプトで、入力したフリガナを全角に変換するには、以下のように記述します。

```
mb_convert_kana($_REQUEST['furigana'])
```

　フリガナ入力欄のリクエストパラメータを、変数$_REQUESTを用いて取得します。変数に格納されているフリガナを、mb_convert_kana関数の引数としています。

覚えておこう！

　mb_convert_kana関数を使うと半角カタカナを全角カタカナに変換できます。

5-6

数値を全角から半角へ変換する

mb_convert_kana関数

全角数字を半角数字に変換するスクリプトを作成しましょう。例えば購入個数などの数値を入力するときには、半角と全角のいずれでも入力できますが、半角に統一して利用することができます。郵便番号や住所の入力にも応用できます。

▼ ここでやること

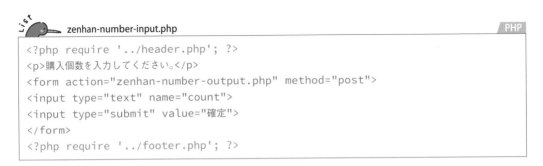

全角で入力された数値を半角に変換して利用できるようにしましょう。

数値の入力画面を作成する

商品の購入個数を入力する画面を用意しましょう。以下のようなスクリプトを記述します。ファイルはchapter5¥zenhan-number-input.phpです。

List **zenhan-number-input.php** `PHP`

```php
<?php require '../header.php'; ?>
<p>購入個数を入力してください。</p>
<form action="zenhan-number-output.php" method="post">
<input type="text" name="count">
<input type="submit" value="確定">
</form>
<?php require '../footer.php'; ?>
```

スクリプトを実行するには、ブラウザで以下のURLを開きます。

実行 http://localhost/php/chapter5/zenhan-number-input.php

正しく実行できた場合には、購入個数の入力欄と、[確定]ボタンが表示されます。

Fig　購入個数の入力画面

購入個数の入力欄（テキストボックス）は、<input>タグを用いて作成します。type属性をtextにし、name属性（リクエストパラメータ名）はcountとしました。

```
<input type="text" name="count">
```

step 2 全角から半角に変換する

入力された購入個数が全角数字の場合は半角数字に変換しましょう。また、数値以外が入力されたときには、エラーメッセージを表示しましょう。以下のようなスクリプトを記述します。ファイルはchapter5¥zenhan-number-output.phpです。

List　zenhan-number-output.php

```php
<?php require '../header.php'; ?>
<?php
$count=mb_convert_kana($_REQUEST['count'], 'n');
if (preg_match('/^[0-9]+$/', $count)) {
    echo $count, '個を購入します。';
} else {
    echo $count, 'は数値ではありません。';
}
?>
<?php require '../footer.php'; ?>
```

スクリプトを実行するには、Step1の入力画面において数値を入力し、[確定]ボタンを選択します。例えば「１２３」のような全角数字を入力すると、半角数字に変換されます。

Fig　全角から半角への変換

半角数字で入力した場合には、変換は行われず、元のままの半角数字になります。また、例えば「ABC」のように数値以外を入力した場合には、エラーメッセージを表示します。

Fig　エラーメッセージの表示

ABCは数値ではありません。

 mb_convert_kana関数による数字の変換

　5-5（p.159）でカタカナの変換に用いたmb_convert_kana関数を用いて、全角数字を半角数字に変換することができます。この場合は引数を2個にして、以下のように記述します。

書式　mb_convert_kana（数字の変換）

```
mb_convert_kana（文字列，オプション）
```

　全角数字を半角数字に変換するには、オプションにnを指定します。オプションを指定することで、さまざまな変換が行えます。

```
mb_convert_kana($_REQUEST['count'], 'n');
```

　他にも次のようなオプションがあります。複数のオプションを組み合わせることができます。

Table　mb_convert_kana関数のオプション

オプション	意味
r	全角英字を半角に変換
R	半角英字を全角に変換
n	全角数字を半角に変換
N	半角数字を全角に変換
a	全角英数字を半角に変換
A	半角英数字を全角に変換
s	全角スペースを半角に変換
S	半角スペースを全角に変換

k	全角カタカナを半角カタカナに変換
K	半角カタカナを全角カタカナに変換
h	全角ひらがなを半角カタカナに変換
H	半角カタカナを全角ひらがなに変換
c	全角カタカナを全角ひらがなに変換
C	全角ひらがなを全角カタカナに変換
V	濁点付きの文字を1文字に変換。KやHと併用する

覚えておこう!

mb_convert_kana関数にオプションを指定すると、さまざまな変換が行えます。

正規表現による数値の確認

数値が入力されたかどうかを、正規表現を用いて判定します。数値を表すパターンは、^[0-9]+$のように記述できます。このパターンの意味は次の通りです。

- ^ ：**行頭**
- [0-9]：**0から9までの数字1文字**
- + ：**直前の文字が1文字以上続く**
- $ ：**行末**

つまり、「0から9までの数字が1文字以上続く」ことを表しています。このパターンを使って、preg_match関数（p.151）を呼び出します。

```
if (preg_match('/^[0-9]+$/', $count)) {
```

$countは半角数字に変換された数値です。preg_match関数の戻り値をif-else文（p.91）で判定して、パターンにマッチした場合には購入メッセージを表示し、マッチしなかった場合にはエラーメッセージを表示します。

5-7 投稿されたメッセージを サーバに保存する

ファイル入出力

サーバ上にあるファイルの読み込みと書き込みを行うスクリプトを作成しましょう。例題は掲示板です。投稿されたメッセージをファイルに書き込んで保存します。また、ファイルを読み込んで、今までに投稿されたメッセージの一覧を表示します。なお、ファイルを読み込むことをファイル入力、ファイルに書き込むことをファイル出力と呼びます。

▼ここでやること

PHP	投稿するメッセージを入力してください。
PHP	デザインがよかったです。　[投稿]

↓

PHP	デザインがよかったです。
PHP	安かったので買いました。
PHP	すぐに届きました。
PHP	品薄でやっと見つけました。

入力されたテキストをサーバ上に保存する処理と、読み込んで一覧表示する処理を作りましょう。

step 1 入力画面を作成する

投稿するメッセージを入力するフォーム画面を用意しましょう。以下のようなスクリプトを記述します。ファイルは**chapter5¥board-input.php**です。

List board-input.php PHP

```php
<?php require '../header.php'; ?>
<p>投稿するメッセージを入力してください。</p>
<form action="board-output.php" method="post">
<input type="text" name="message">
<input type="submit" value="投稿">
</form>
<?php require '../footer.php'; ?>
```

スクリプトを実行するには、ブラウザで以下のURLを開きます。

実行 http://localhost/php/chapter5/board-input.php

正しく実行できた場合には、メッセージの入力欄と、[投稿]ボタンが表示されます。

Fig　メッセージの入力画面

投稿するメッセージを入力してください。
　　　　　　　　　　　投稿

メッセージの入力欄は、<input>タグを用いて作成します。type属性はtext、name属性（リクエストパラメータ名）はmessageとしました。

```
<input type="text" name="message">
```

step 2 ファイル入出力とメッセージの一覧表示

入力されたメッセージをファイルに保存するとともに、今までに投稿されたメッセージを読み込んで一覧を表示しましょう。以下のようなスクリプトを記述します。ファイルはchapter5¥board-output.phpです。

List board-output.php PHP

```php
<?php require '../header.php'; ?>
<?php
$file='board.txt';
if (file_exists($file)) {
    $board=json_decode(file_get_contents($file));
}
$board[]=htmlspecialchars($_REQUEST['message']);
file_put_contents($file, json_encode($board));
foreach ($board as $message) {
    echo '<p>', $message, '</p><hr>';
}
?>
<?php require '../footer.php'; ?>
```

スクリプトを実行するには、Step1の入力画面においてメッセージを入力し、[投稿]ボタンを選択します。例えば「デザインがよかったです。」のような文字列を入力して投稿すると、一覧に入力したメッセージが表示されます。

Fig　メッセージの一覧

デザインがよかったです。

ブラウザの入力画面に戻って、さらに「安かったので買いました。」「すぐに届きました。」「品薄でやっと見つけました。」と投稿します。すると一覧に、入力した順番にメッセージが表示されます。

Fig　追加で投稿したときのメッセージの一覧

デザインがよかったです。
安かったので買いました。
すぐに届きました。
品薄でやっと見つけました。

解　説

ファイルの操作

Step2のスクリプトは、次のような処理を行います。

▶ ①メッセージの一覧をファイルから読み込む
▶ ②メッセージの一覧に新規メッセージを追加する
▶ ③メッセージの一覧をファイルに書き込む
▶ ④メッセージの一覧を表示する

メッセージをファイルに保存する際には、JSONという形式を使います。JSONは「ジェイソン」と読みます。JSONはJavaScript Object Notationの略です。

JSONはプログラミング言語のJavaScriptにおける表記法に由来しますが、JavaScriptに限らず、いろいろなプログラミング言語で利用されています。PHPにおいてJSONを使う利点は、文字列や配列といったデータ構造を、簡単にファイルに書き込んだり、読み込んだりできることです。

今回は、PHPスクリプトと同じフォルダにあるboard.txtというテキストファイルに、メッセー

ジの一覧を保存します。前述の実行例のように、4つのメッセージを追加した後のboard.txtは、次のような内容になっています。

```
["¥u30c7¥u30b6¥u30a4¥u30f3¥u304c¥u3088¥u304b¥u3063¥u305f¥u3067¥u3059¥
    u3002",
 "¥u5b89¥u304b¥u3063¥u305f¥u306e¥u3067¥u8cb7¥u3044¥u307e¥u3057¥u305f¥
    u3002",
 "¥u3059¥u3050¥u306b¥u5c4a¥u304d¥u307e¥u3057¥u305f¥u3002",
 "¥u54c1¥u8584¥u3067¥u3084¥u3063¥u3068¥u898b¥u3064¥u3051¥u307e¥u3057¥
    u305f¥u3002"]
```

上記では見やすいように改行していますが、実際のboard.txtには改行が入っていません。ダブルクォート（"）で囲まれた部分が、1つのメッセージに対応します。4つのメッセージが、カンマ（,）で区切られています。¥uXXXXのような記述は、メッセージに含まれる文字をUnicode（p.58）で表現したものです。XXXXの部分は、文字コードを4桁の16進数で表記しています。

ファイルの読み込み

最初に、メッセージの一覧をファイルから読み込みます。ファイル名のboard.txtはスクリプト内で何度も使うので、変数$fileに格納しておきます。

```
$file='board.txt';
```

ファイルの読み込みを行うにあたって、file_exists関数を使って、ファイルが存在するかどうかを調べます。

書式 **file_exists**

```
file_exists(ファイル名)
```

file_exists関数は、指定したファイルが存在する場合にはTRUE、存在しない場合にはFALSEを返します。今回はif文（p.89）と組み合わせて、ファイルが存在するときだけ、ファイルを読み込みます。

```
if (file_exists($file)) {
```

ファイルの読み込みには、file_get_contents関数を使います。

```
file_get_contents(ファイル名)
```

file_get_contents関数は、ファイルの全体を読み込み、内容を文字列として返します。今回は次のようにファイルを読み込みます。$fileはファイル名を格納した変数です。

```
file_get_contents($file)
```

読み込むファイルは、JSON形式で保存されているので、PHPで扱える形式に変換する必要があります。そこで、JSONの入力を行う**json_decode**関数を使用します。

```
json_decode(文字列)
```

json_decode関数は、JSON形式の文字列を解釈して、PHPの文字列や配列といったデータに変換します。ここではfile_get_contents関数で取得した文字列を、json_decode関数に渡します。

```
json_decode(file_get_contents($file))
```

さらにjson_decode関数の戻り値を、変数$boardに格納して、後ほど利用できるようにします。

```
$board=json_decode(file_get_contents($file));
```

覚えておこう！

JSONファイルの読み込みは、存在確認、文字列の取得、文字列の変換の順番で行います。

配列への追加

board.txtは、複数のメッセージが格納された配列を表現しています。json_decode関数で変換すると、PHPの配列が返ります。戻り値を代入した変数$boardには、メッセージの配列が格納されています。

配列に新規メッセージを追加するには、次のような構文を使います。以下で配列の部分には、配列を代入した変数を指定します。

書 式	配列に要素を追加する
配列 [ ] = 新規要素	

　配列内にある、個々の値を格納する領域のことを、配列の要素と呼びます（p.82）。上記の構文を使うと、配列の末尾に、新しい要素を追加することができます。

Fig　配列に要素を追加する

　ここではメッセージ入力欄の内容をリクエストパラメータから取得して、変数$boardに格納された配列の末尾に追加します。入力を行うテキストボックスはname属性（リクエストパラメータ名）をmessageに設定しているので、入力された内容は$_REQUEST['message']で取得することができます。

　ところで掲示板のように、あるユーザーが入力したメッセージ（文字列）を、他のユーザーのブラウザに表示するスクリプトでは、セキュリティを考慮する必要があります。悪意のあるユーザーが、JavaScriptなどを使った有害なスクリプトを含むメッセージを投稿した場合、このメッセージを他のユーザーのブラウザにそのまま表示すると、気づかないうちに有害なスクリプトが実行されてしまう危険があります。このような攻撃は、クロスサイトスクリプティング（XSS）と呼ばれます。

　攻撃を防止する方法の1つは、3-3のNote（p.73）で紹介したhtmlspecialchars関数を使って、HTMLタグを無効にすることです。例えば今回のスクリプトでは、

```
$board[]=$_REQUEST['message'];
```

のように、ユーザーが入力したメッセージをそのまま追加するのではなく、

```
$board[]=htmlspecialchars($_REQUEST['message']);
```

のように、HTMLタグを無効にしてから追加します。

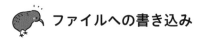 ファイルへの書き込み

　メッセージを保存するために、ファイルに書き込みを行います。まず、メッセージの配列を JSON形式に変換するために、**json_encode**関数を使います。

```
json_encode(値)
```

　値の部分には、変数や式も指定することができます。ここではメッセージの配列（を代入した変数）である$boardを指定します。

```
json_encode($board)
```

　ファイルへの書き込みは、**file_put_contents**関数を使います。

```
file_put_contents(ファイル名, 文字列)
```

　file_put_contents関数は、指定した文字列を、指定したファイルに書き込みます。ここでは書き込む文字列として、JSON形式に変換したメッセージの配列を指定します。書き込みを行うファイル名は、変数$fileに格納してあります（p.169）。

```
file_put_contents($file, json_encode($board));
```

 メッセージの表示

　メッセージの一覧を表示します。$boardは配列なので、foreachループ（p.124）を使うのが便利です。

```
foreach ($board as $message) {
    echo '<p>', $message, '</p><hr>';
}
```

　foreach文は、$boardからメッセージを1個ずつ取得し、変数$messageに格納します。この

$messageを画面に表示する処理を、配列の最後の要素まで繰り返します。メッセージとメッセージの間は、<hr>タグを用いて、水平線で区切りました。

🔈file_put_contents関数の動作

　file_put_contents関数は、書き込みを行うファイルが存在しない場合には、新規にファイルを作成します。存在する場合には、既存のファイルを上書きします。

🔈数値の保存

　今回はメッセージの配列、つまり文字列の配列を保存しましたが、他の形式のデータを保存することも可能です。同様にjson_encode関数やfile_put_contents関数を使って、例えば数値の配列を保存することもできます。

5-8

サーバにファイルをアップロードする

ファイルのアップロード

サーバにファイルをアップロードするスクリプトを作成しましょう。SNSなどでプロフィール用の写真画像などをアップロードする機能を実現することができます。

▼ ここでやること

アップロードするファイルを指定してください。

[ファイルを選択] item0.png

[アップロード]

選択したファイルをサーバにアップロードできるようにしましょう。

step 1 ファイルを選択する画面を作成する

アップロードするファイルを指定するフォーム画面を用意しましょう。以下のようなスクリプトを記述します。ファイルはchapter5¥upload-input.phpです。

List upload-input.php   PHP

```php
<?php require '../header.php'; ?>
<p>アップロードするファイルを指定してください。</p>
<form action="upload-output.php" method="post"
        enctype="multipart/form-data">
<p><input type="file" name="file"></p>
<p><input type="submit" value="アップロード"></p>
</form>
<?php require '../footer.php'; ?>
```

スクリプトを実行するには、ブラウザで以下のURLを開きます。

実行 http://localhost/php/chapter5/upload-input.php

正しく実行できた場合には、ファイルの選択欄と、[アップロード]ボタンが表示されます。

Fig　ファイルの選択画面

アップロードするファイルを指定してください。
［ファイルを選択］選択されていません
［アップロード］

　解　説

 アップロード用のフォーム

　ファイルをアップロードするには、以下のような<form>タグを記述します。enctype属性に
multipart/form-dataを指定することがポイントです。

```
<form action="upload-output.php" method="post"
      enctype="multipart/form-data">
```

　さらに<input>タグを記述して、type属性をfileにします。これで、ファイル選択欄が表示され
ます。

```
<input type="file" name="file">
```

　name属性（リクエストパラメータ名）はfileとしました。

覚えておこう！

　ファイル選択欄はtype属性をfileにすると作成できます。

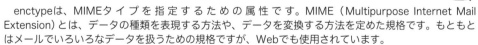

enctypeとmultipart/form-dataの意味

　enctypeは、MIMEタイプを指定するための属性です。MIME（Multipurpose Internet Mail
Extension）とは、データの種類を表現する方法や、データを変換する方法を定めた規格です。もともと
はメールでいろいろなデータを扱うための規格ですが、Webでも使用されています。
　multipart/form-dataは、HTTPでファイルをアップロードする際に用いるMIMEタイプです。
multipartは複数のファイルをまとめるための形式で、メールでは本文と添付ファイルをまとめるために
使います。HTTPではフォームへの入力内容とアップロードするファイルをまとめるために使います。

ファイルをサーバ上に保存する

アップロードされたファイルをサーバ上に保存するとともに、画像ファイルの場合にはブラウザ上に画像を表示するようにしましょう。以下のようなスクリプトを記述します。ファイルはchapter5¥upload-output.phpです。

List upload-output.php   PHP

```php
<?php require '../header.php'; ?>
<?php
if (is_uploaded_file($_FILES['file']['tmp_name'])) {
    if (!file_exists('upload')) {
        mkdir('upload');
    }
    $file='upload/'.basename($_FILES['file']['name']);
    if (move_uploaded_file($_FILES['file']['tmp_name'], $file)) {
        echo $file, 'のアップロードに成功しました。';
        echo '<p><img alt="image" src="', $file, '"></p>';
    } else {
        echo 'アップロードに失敗しました。';
    }
} else {
    echo 'ファイルを選択してください。';
}
?>
<?php require '../footer.php'; ?>
```

スクリプトを実行するには、Step1の入力画面においてファイルを選択します。ファイルの形式は任意ですが、ブラウザで表示できる画像ファイルがおすすめです。例えば、次のような画像（item0.png）を選択します。

Fig アップロードする画像

ファイルを選んで[アップロード]ボタンを選択すると、サーバにアップロードされます。画像ファイル（ブラウザが表示可能なもの）の場合には、アップロード完了のメッセージと同時に画像が表示されます。

なお、ファイルはスクリプトと同じフォルダ内に「upload」というフォルダを追加し、そのなかに保存されます。

Fig　アップロードの結果

upload/item0.pngのアップロードに成功しました。

 解　説

アップロードされたファイルの確認

　<form>タグのファイル選択欄からアップロードされたファイルは、一時的なファイルに保存されます。この一時的なファイルのファイル名は、以下の記述で取得することができます。

```
$_FILES['file']['tmp_name']
```

　$_FILESは、PHPによって事前に用意された変数です。fileは入力画面用のスクリプトでファイル選択欄に付けた名前です。tmp_nameを指定することで、一時的なファイルの名前が取得できます。
　ここで取得した一時的なファイルが、入力画面からアップロードされたファイルかどうかを調べます。is_uploaded_file関数を使います。

書式　is_uploaded_file

```
is_uploaded_file(ファイル名)
```

　アップロードされたファイルの場合、is_uploaded_file関数はTRUEを返します。ここではif文と組み合わせて、本当にアップロードされたものだった場合にのみ処理を行っています。

```
if (is_uploaded_file($_FILES['file']['tmp_name'])) {
```

一時的なファイル

ブラウザでファイルをアップロードすると、ファイルの内容がサーバサイドに送信されます。PHPは受信したファイルの内容を、サーバサイドの一時的なファイルに保存します。スクリプトが終了すると、このファイルは自動的に削除されます。

PHPは一時的なファイルに対して、元のファイル名とは異なる名前を付けます。この名前はtmp_nameで取得できます。後述するように、元のファイル名はnameで取得できます（p.179）。

is_uploaded_file関数の意味

is_uploaded_file関数は、指定したファイルがアップロードされたファイルかどうかを確認します。この確認はセキュリティのためです。例えば、スクリプトが重要なファイルを操作するように仕向ける攻撃を防止する効果があります。

フォルダの作成

アップロードされたファイルを保存するために、サーバ上にフォルダを作成します。まず、**file_exists**関数を用いて、保存先のフォルダが既に存在するかどうかを調べます。

書式　file_exists
```
file_exists(フォルダ名)
```

file_exists関数は、引数に指定したフォルダが存在する場合、TRUEを返します。存在しない場合、FALSEを返します。ここではフォルダが存在しない場合にフォルダを作成するため、以下のようなif文（p.89）を記述します。フォルダ名はuploadとしました。

```
if (!file_exists('upload')) {
```

file_existsの前に付加した!は、TRUEとFALSEを反転させる演算子です。!は論理演算子の一種で、否定と呼ばれます。if文の式に「!」を付けることで、式の値がTRUEではない場合は、という条件を書くことができます。

フォルダを作成するには、**mkdir**関数を使います。

書式　mkdir

```
mkdir(フォルダ名)
```

uploadフォルダを作成するには、以下のように記述します。

```
mkdir('upload');
```

mkdir関数は、スクリプトがあるフォルダ以下に、指定したフォルダを作成します。この例では、chapter5フォルダ以下に、uploadフォルダを作成します。

覚えておこう！

if文の式に「!」を付けると、条件を反転させることができます。

if文を入れ子にする

Step2のスクリプトでは、if文のなかにif文が記述されています。このように、制御構造のなかに別の制御構造を含めることを、「入れ子」または「ネスト」と呼びます。if文だけではなく、if-else文、forループ、whileループなども、入れ子にすることができます。

```
if (is_uploaded_file(...)) {
    if (!file_exists(...)) {
        ...
    }
    ...
}
```

 ## アップロードされたファイルの保存

アップロードされたファイルを保存します。まず、アップロードされたファイルの名前を取得して、保存先のファイル名を作成します。アップロードされたファイルのファイル名は、以下の記述で取得できます。fileは入力画面で設定したファイル選択欄の名前（name属性の値）です。

```
$_FILES['file']['name']
```

例えばtest0.pngをアップロードした場合、上記の記述で「test0.png」というファイル名が取得できます。その際に、ファイル名に不正なフォルダ名などが含まれていると不都合なので、次のようなbasename関数を使って、ファイル名だけを取り出します。さらに安全にしたい場合は、取り出したファイル名が適切な形式かどうかを、5-3（p.149）と5-4（p.155）で学んだ正規表現を使って確認してもよいでしょう。

書式 basename

```
basename(パス)
```

---

　basename関数の引数はパスです。パスは、例えばxampp¥htdocs¥php¥chapter5のような、フォルダやファイルの場所を表す文字列です。フォルダ名やファイル名を、¥や/などの区切り文字で区切って並べます。basename関数は、パスの末尾にあるフォルダ名やファイル名だけを取り出します。
　次のようにbasename関数を用いて、アップロードされたファイル名を取得します。

```
basename($_FILES['file']['name'])
```

　このファイル名の前に、uploadというフォルダ名を付加します。

```
'upload/'.basename($_FILES['file']['name'])
```

　文字列を連結する「.」演算子を用いて、フォルダ名とファイル名を結合します。フォルダ名とファイル名の間は、/で区切ります。ここでは作成したファイル名を、変数$fileに保存します。

```
$file='upload/'.basename($_FILES['file']['name']);
```

　アップロードされた一時的なファイルを、保存先のファイルに移動するには、move_uploaded_file関数を使います。一時的なファイルはスクリプトが終了すると削除されてしまいます。別の保存先に移動することによって、スクリプトが終了した後にもファイルを残すことができます。

書式 move_uploaded_file

```
move_uploaded_file(一時的なファイル, 保存先のファイル)
```

---

　move_uploaded_file関数は、成功したときにTRUEを返します。ここではif文と組み合わせて、成功時にはメッセージを表示しています。

```
if (move_uploaded_file($_FILES['file']['tmp_name'], $file)) {
    echo $file, 'のアップロードに成功しました。';
```

　成功時には、アップロードされたファイルを画像として表示します。以下のスクリプトで、画像表示用の<img>タグを生成します。

```
echo '<p><img alt="image" src="', $file, '"></p>';
```

　例えばtest0.pngの場合、以下のような<img>タグと<p>タグを生成します。

```
<p><img alt="image" src="upload/test0.png"></p>
```

覚えておこう！

　move_uploaded_file関数で一時的なファイルを保存先に移動させます。

📢macOSにおけるファイルの書き込み許可

　5-7 (p.166) と5-8 (p.174) のサンプルが動作しない場合には、以下の操作を行った後に、サンプルを実行してみてください。/Applications/MAMP/htdocs/phpフォルダに対する、everyoneによるファイルの書き込みを許可します。

①Finderで、アプリケーションフォルダ以下のMAMP/htdocs/phpフォルダを開きます。
②phpフォルダを右クリックして、[情報を見る]を選択します。
③[phpの情報]ダイアログの[共有とアクセス権]で、everyoneのアクセス権を[読み/書き]にします。
④ダイアログの右下にあるロックのアイコンをクリックして、ロックを外します。パスワードを求められたら入力して、[OK]を選択してください。
⑤ダイアログの左下にある[アクション]のアイコンをクリックして、[内包している項目に適用]を選択します。確認ダイアログが表示されたら、[OK]を選択してください。

📢 ファイル名の形式を確認する正規表現

ファイル名の形式は正規表現を使って確認できます。例えば以下のパターンは、拡張子がpng、jpg、jpegの画像ファイル名を表します。

```
^[a-zA-Z0-9_]+¥.(png|jpg|jpeg)$
```

上記のパターンは「item0.png」などにマッチします。各部分の意味は次の通りです。

`^`	: **行頭**
`[a-zA-Z0-9_]+`	: **英字、数字、アンダースコアのいずれか1文字以上**
`¥.`	: **通常の「.」**
`(png|jpg|jpeg)`	: **png、jpg、jpegのいずれか**
`$`	: **行末**

正規表現における「.」は任意の1文字を表す特別な文字ですが、¥.とすると通常の「.」として扱われます。また、[a-zA-Z0-9_]は簡略に¥wとも書けます。

ファイルをアップロードするスクリプトに、ファイル名の形式を確認する処理を追加したもの参考用に収録しておきました。chapter5¥upload-input2.phpとchapter5¥upload-output2.phpです。

Chapter 5 のまとめ

本章ではPHPが提供するいろいろな関数の使い方を学びました。PHPには多くの便利な関数があるため、Webアプリケーションに必要な機能を、簡潔なスクリプトで実現することができます。

PHPのマニュアル（https://php.net/manual/ja/）には、PHPが提供する関数についての説明があります。本書で紹介した関数について詳しく調べたり、他の関数について学んだりするために、活用することをおすすめします。

次章では、PHPとデータベースを連携させる方法について学びます。

Chapter 6

データベースの基本と操作

本章ではデータベースについて学びます。データベースは商品の在庫情報や、ログインユーザーに関するデータを保存したり、そこから検索したりすることができます。ショッピングサイトを作成する際には必須の機能です。

データベースを操作するためには、SQLと呼ばれる言語を使います。本章では、データベースの作成・検索・更新などを行うための、基本的なSQLの文法を学びます。さらに、PHPからSQLを用いて、データベースを操作する方法を習得します。PHPからデータベースを操作することによって、さまざまなデータを扱う本格的なWebアプリケーションを開発することができます。

データベースの基本

　「データベース」とは、データを集めたものです。そして、単にデータの集合ではなく、検索や更新といった処理が行いやすい形式に整理されています。データベースは英語ではdatabase、略してDBと呼ぶことがあります。

無秩序なデータ
（形式が統一されていない）

| 熊木 和夫 東京都新宿区西新宿2-8-1 |
| 住所：神奈川県横浜市中区日本大通1 氏名：鳥居 健二 |
| 大阪府大阪市中央区大手前2 鷺沼 美子 様 |

データベース
（検索や更新がしやすい形式に整理されている）

番号	氏名	住所
1	熊木和夫	東京都新宿区西新宿2-8-1
2	鳥居健二	神奈川県横浜市中区日本大通1
3	鷺沼美子	大阪府大阪市中央区大手前2

　コンピュータ上でデータベースを構築したり操作したりするためのソフトウェアのことを、「データベース管理システム」と呼びます。英語ではdatabase management system、略してDBMSと呼ぶことがあります。

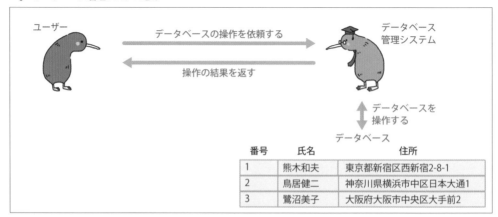

ユーザー　　データベースの操作を依頼する　　データベース管理システム

操作の結果を返す

データベースを操作する

データベース

番号	氏名	住所
1	熊木和夫	東京都新宿区西新宿2-8-1
2	鳥居健二	神奈川県横浜市中区日本大通1
3	鷺沼美子	大阪府大阪市中央区大手前2

ショッピングサイトでは、顧客の住所や購買履歴などの情報や、取り扱う製品の情報を管理するためにデータベースが使われています。PHPスクリプトは、Webページ上のユーザーの操作に応じて、データベースから必要なデータを取り出したり、データを追加したりする役割を担っています。

　本章では、データベースの仕組みと、データベースを操作するPHPスクリプトの書き方について学びます。最初にデータベースの構造を理解しましょう。

テーブルと行と列

　データベースのなかでも、今日広く利用されている形式の1つが、「関係データベース」または「リレーショナルデータベース」と呼ばれるものです。本書で「データベース」という言葉は、特に断りがない限り、関係データベース（リレーショナルデータベース）のことを指します。

　関係データベースに対する管理システムのことを、「関係データベース管理システム」または「リレーショナルデータベース管理システム」と呼びます。英語のrelational database management systemを略して、RDBMSと呼ぶことがあります。RDBMSはそのまま、「アールディビーエムエス」と読みます。

　データベースではデータを表の形式で管理します。この表はテーブルと呼ばれます。

Fig　データベースにおけるテーブル

番号	氏名	住所
1	熊木和夫	東京都新宿区西新宿2-8-1
2	鳥居健二	神奈川県横浜市中区日本大通1
3	鷺沼美子	大阪府大阪市中央区大手前2

　テーブルは格子状に区切られています。横方向に並んだ格子群を行、縦方向に並んだ格子群を列と呼びます。

Fig　行と列

例えば住所録を記録したテーブルを作成し、氏名と住所をそのなかに格納するとします。個人を識別するための番号も振っておくことにしましょう。

テーブルの列の数は、格納するデータの種類数に対応しています。この場合、データの種類数が番号・氏名・住所の3つなので、列数が「3」のテーブルを作成します。このように、テーブルを作成する際には、列の数を決めるとともに、各々の列にどのようなデータを格納するのかを決めます。

テーブルの行の数は、格納するデータの件数に対応しています。1件（この場合は1人分の住所）のデータは、1行にまとめます。

行は容易に追加することができます。住所録の場合、行を増やすことは、登録人数を増やすことに相当します。メモリやディスクなどの記憶容量が許す限り、必要なだけ行を追加することができます。また、不要な行を削除することもできます。

Fig 行は容易に追加できる

列の構成は、テーブルを作成する際に決定したら、あとは変更しない方がよいでしょう。列の構成を変更すると、テーブル全体に影響が及びます。例えば、郵便番号の列を追加するには、全ての行に郵便番号のデータを追加する手間が発生する可能性があります。テーブルの用途を最初から明確にしておき、後で列の構成に変更が生じないようにすることが必要です。

Fig 列の構成を変更するとテーブル全体に影響が及ぶ

MariaDB/MySQL

コンピュータの世界では、数多くのRDBMS製品が開発され、広く利用されています。そのなかから、本書ではXAMPP/MAMPに付属するRDBMSであるMariaDBとMySQLを使います。MariaDBは、業務用のシステムでも広く利用されているRDBMSであるMySQLの作者が、MySQLの派生製品として開発しているRDBMSです。MariaDBの使用方法はMySQLと共通しています。

本書の執筆時点（2022年7月）において、XAMPPはMariaDBを同梱し、MAMPはMySQLを同梱しています。一方で、XAMPPが同梱するツール、例えばXAMPPコントロールパネルなどは、MariaDBを「MySQL」と表示しています。そこで、以後は「MySQL」に統一して表記することにします。なお、MariaDBは「マリアディービー」、MySQLは「マイエスキューエル」と読みます。

SQL

SQLとは、RDBMSを利用するための言語です。SQLはそのまま、「エスキューエル」と読みます。SQLを利用して、データベースやテーブルを作成したり、データを追加したり、特定の条件に当てはまるデータを検索したりすることができます。

SQLで記述したひとまとまりの処理のことを、SQL文と呼びます。利用者がSQL文をRDBMSに対して発行すると、RDBMSはSQL文をデータベースに対して実行し、結果を利用者に返します。

Fig　SQLの動作の仕組み

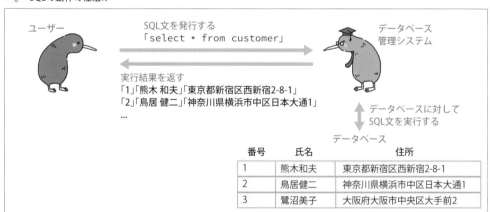

SQLの文法は、本書で学んでいるPHPの文法とは異なります。しかし、簡単な英単語と記号の組み合わせで構成されているので、習得は難しくありません。本書では、特に必要なものだけに絞って、データベースの作成、テーブルの作成、データの検索・追加・更新・削除の操作を行うためのSQLの文法を解説します。

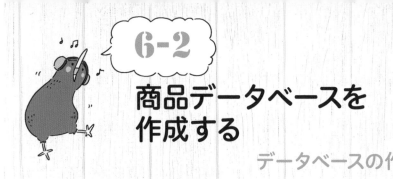

6-2

商品データベースを作成する

データベースの作成

これからSQLやPHPを使ってデータベースを操作する方法を学ぶために、サンプルのデータベースを作成しましょう。SQLを利用して、データベースの作成とデータの入力を一度に行います。

▼ ここでやること

学習に使用するために、商品情報を集めたデータベースを作成します。

MySQLを起動する

データベースを作成するためにはSQLを使います。SQLを実行するためには、まずRDBMSを起動する必要があります。Windowsの場合は、タスクバーのXAMPPのアイコンをクリックし、XAMPPコントロールパネルを開いてください。なお、ここでは既にXAMPPコントロールパネルを利用して、Apacheを実行しているものとします（p.26）。

Fig　XAMPPのアイコン

XAMPPコントロールパネルが開いたら、「MySQL」の右側にある［Start］ボタン❶を選択して、MySQLを起動します。

Fig XAMPPコントロールパネルでMySQLを起動する

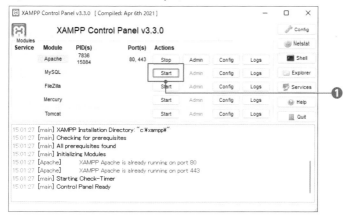

[Start]ボタンを選択すると、少し時間がかかる場合もありますが、MySQLが起動します。MySQLの右側にあるボタンが「Start」から「Stop」に変化し、[PID（s）]と[Port（s）]の欄に数値が表示されたら、無事にMySQLが起動したということです。PID（プロセスID）は、動作中のMySQLをOS（Windowsなど）が識別するための番号です。Portは、MySQLがネットワークを用いて通信を行うための、ネットワークの出入り口を表す番号です。

Fig MySQLが起動した状態のXAMPPコントロールパネル

[Stop]ボタンを選択すると、MySQLを停止することができます。本書では今後、ずっとデータベースを利用しますので、特に必要がなければ[Stop]ボタンは選択せずに、MySQLを起動したままにしておいてください。なお、[Stop]ボタンを選択してMySQLをいったん終了させても、データベースに保存した内容は失われませんので、ご安心ください。

覚えておこう！

XAMPPコントロールパネルでMySQLを起動しましょう。

📢 macOSの場合

MAMPの場合は、サーバを開始すればApacheとMySQLの両方が起動します。2-3 (p.34) の手順に沿って、MAMPの [Start] ボタンを選択し、サーバを開始してください。

データベースを作成するSQLスクリプトを実行する

SQL文で記述したテキストを、SQLスクリプトと呼ぶことがあります。SQLスクリプトは、1個または複数個のSQL文を並べたものです。

ここでは、商品情報のデータベースを作成するためのSQLスクリプトを用意しました。このSQLスクリプトを実行すると、データベースを作成し、商品のテーブルを定義し、商品のデータを追加します。また、データベースを利用するためのユーザーや、ログイン時に使用するパスワードも作成します。今回は、店舗が管理する商品情報を想定したデータベースということで、次の表のように設定しています。

Table　作成するデータベース

項目	名前
データベース名	shop
テーブル名	product
ユーザー名	staff
パスワード	password

ここではパスワードであることがわかりやすいように、あえて「password」というパスワードを使っています。実際に運用する際には、他人には予想しにくいパスワードを使用してください。

テーブルには、次の表のような「列」を定義するものとします。テーブルを作成する際には、このように列を定義することによって、テーブルの構造を決定する必要があります。

Table　テーブルの定義

列	格納するデータ	データの種類
id	商品番号	数値
name	商品名	文字列
price	価格	数値

ここで実行するSQLスクリプトのファイルは、chapter6¥product.sqlです。このファイルは手で入力していただいても構いませんが、少し入力量が多いので、本書のサンプルデータ（p.15）をそのまま利用されることをおすすめします。product.sqlは、サンプルデータの「chapter6」フォルダ内に収録されています。

　作成するデータベース、テーブル、ユーザーの関係は次の通りです。

Fig　商品情報のデータベース

List　product.sql
SQL

```
drop database if exists shop;
create database shop default character set utf8 collate utf8_general_ci;
drop user if exists 'staff'@'localhost';
create user 'staff'@'localhost' identified by 'password';
grant all on shop.* to 'staff'@'localhost';
use shop;

create table product (
    id int auto_increment primary key,
    name varchar(200) not null,
    price int not null
);

insert into product values(null, '松の実', 700);
insert into product values(null, 'くるみ', 270);
insert into product values(null, 'ひまわりの種', 210);
insert into product values(null, 'アーモンド', 220);
insert into product values(null, 'カシューナッツ', 250);
insert into product values(null, 'ジャイアントコーン', 180);
insert into product values(null, 'ピスタチオ', 310);
insert into product values(null, 'マカダミアナッツ', 600);
insert into product values(null, 'かぼちゃの種', 180);
insert into product values(null, 'ピーナッツ', 150);
insert into product values(null, 'クコの実', 400);
```

 SQLスクリプトの入力・実行方法

XAMPP/MAMPでSQLスクリプトを実行するためには、付属する「phpMyAdmin」というツールを使用します。phpMyAdminを起動するには、ブラウザで以下のURLを開きます。

実行　http://localhost/phpmyadmin/

XAMPPの場合は、XAMPPコントロールパネルからphpMyAdminを起動することもできます。MySQLの右側にある［Admin］ボタン❶を選択します。

Fig　XAMPPコントロールパネルからphpMyAdminを起動する

［Admin］ボタンを選択すると、ブラウザ上でphpMyAdminのページが開きます。ページ内の［Appearance settings］（外観の設定）にある［Language］（言語）の項目❷で、表示言語を選択することができます。本書では［日本語 - Japanese］を選択したものとして、以後の説明を進めます。

Fig　表示言語の選択

なお、表示言語を日本語にしている場合、ときどきメッセージが文字化けする場合があるようです。この場合は、画面左上のphpMyAdminのロゴを選択して、トップページにいったん戻れば、文字化けが解消します。

　さて、phpMyAdminを使ってSQLを実行するために、画面上方に並んだタブのなかから、[SQL] タブ❸を選択します。

Fig　phpMyAdminにおいて [SQL] タブを選択する

　[SQL] タブにおいて、「サーバ「127.0.0.1」上でクエリを実行する:」という表示の下にある空白の領域がSQLの入力欄です。この入力欄❹に、product.sqlの内容を入力してください。テキストエディタでproduct.sqlを開き、全選択したうえでコピーして、入力欄に貼り付けるのがおすすめです。

　SQLスクリプトを入力したら、入力欄の右下にある [実行] ボタン❺を選択して、実行します。Windowsの場合は [Ctrl] + [Enter] キー、macOSの場合は [control] + [Enter] キーでも実行できます。

Fig　SQLの入力欄にSQLスクリプトを入力する

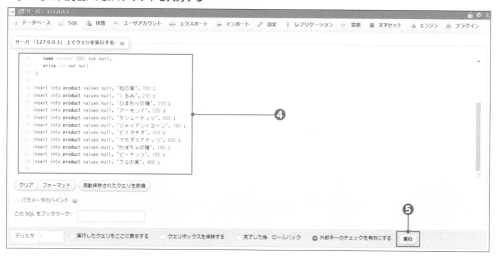

　SQLスクリプトを実行すると、画面には緑色のチェックマークが付いた数多くのメッセージが表示されます。[クエリボックスを表示] ボタンを選択すると、SQLの入力欄に戻れます。

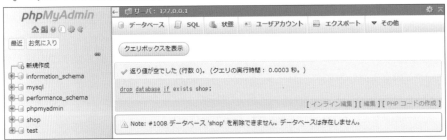

メッセージにはNote(注釈)やError(エラー)も含まれていますが、ここでは画面の左側に注目してください。画面の左側には、MySQLが管理するデータベースやテーブルの一覧が表示されます。一覧のなかに「shop」という項目があり、shop以下に「product」という項目があれば、product.sqlは正常に実行されています。これらの項目は、shopデータベースとproductテーブルを表しています。shopが表示されない場合は、画面を更新してみてください。

Fig　一覧に「shop」が追加される

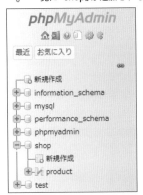

 データベースとユーザーの作成

　ここからはSQLスクリプト(product.sql)の内容について説明します。この解説は少し長く、読まなくても先の学習を進めることはできるので、読み飛ばして、後日読んでいただくのでも構いません。もちろん読んでいただければ、データベースの操作に関してより深く理解することができます。

🐢 データベースの削除

　product.sqlの最初は、shopデータベースが既に存在する場合に、shopデータベースを削除す

194

る処理です。

```
drop database if exists shop;
```

drop databaseは、データベースを削除するSQLのコマンド（命令）です。if existsは、
「指定するデータベースが存在する場合に」という条件を表します。

🐦 データベースの作成

次に、shopデータベースを作成します。

```
create database shop default character set utf8 collate utf8_general_ci;
```

create databaseは、データベースを作成するコマンドです。続けて指定する名前で、デー
タベースを作成します。

default character setは、データベースで用いる文字コードを表します。ここではUTF-8
を表す「utf8」を指定します。

collateは、データベースにおいて行を並べる順番を決めるための方式を表します。ここでは
UTF-8を用いた方式の1つである、「utf8_general_ci」を指定します。MySQLにおけるcollateの
詳細は、「https://dev.mysql.com/doc/refman/5.6/ja/charset-collations.html」などに記載さ
れています。

🐦 ユーザーの削除

続いて、shopデータベースを使用するためのユーザーを作成します。まずは、ユーザーが既に
存在する場合に、ユーザーを削除する処理です。

```
drop user if exists 'staff'@'localhost';
```

drop userは、ユーザーを削除するコマンドです。ここでは「localhost」というホストに
「staff」というユーザーが存在する場合、このユーザーを削除します。

🐦 ユーザーの作成

次はユーザーを作成します。

```
create user 'staff'@'localhost' identified by 'password';
```

create userは、ユーザーを作成するコマンドです。ここでは「localhost」というホストに、
「staff」というユーザーを作成します。

`identified by`以下は、ユーザーがデータベースにログインするためのパスワードです。ここでは「password」というパスワードを指定します。

🥝 ユーザーに対する権限の付与

作成したユーザーに、データベースを操作する権限を与えます。

```
grant all on shop.* to 'staff'@'localhost';
```

`grant`は、ユーザーに対してデータベースを操作する権限を与えるためのコマンドです。`all on shop.*`は、shopデータベースの全てのテーブルに対して、全ての権限を与えることを表します。`to`以下は、ユーザー名とホスト名です。

🥝 データベースへの接続

最後に、作成したshopデータベースに接続します。

```
use shop;
```

`use`は、データベースに接続するためのコマンドです。ここではshopデータベースに接続します。これ以降の操作は、shopデータベースに対して適用されます。

ここまでの処理で、shopデータベースと、staffユーザー、接続するためのパスワードを作成しました。そして、shopデータベースに接続しました。

Fig　データベースとユーザーの作成

テーブルの作成

データベースとそれを利用するユーザー（およびパスワード）ができました。次はデータベースのなかにテーブルを作りましょう。

shopデータベースのなかに、productテーブルを作成します。

```
create table product (
    id int auto_increment primary key,
    name varchar(200) not null,
    price int not null
);
```

create tableは、テーブルを作成するコマンドです。ここではproductテーブルを作成します。create tableコマンドの「（」と「）」の間には、テーブル内に作成する列を「,」で区切って指定します。

商品番号の列

1番目の列を作成します。

```
id int auto_increment primary key,
```

idは列の名前、intは列のデータ型です。この列は商品番号を表すので、名前をidとし、型は整数を表すintにしました。intはinteger（整数）の略で、「イント」と読みます。

auto_incrementを指定すると、行を追加したときに番号が自動的に加算されます。例えば、これまでのidの最大値が「3」のときに行を追加すると、新しい行のidには自動的に「4」が設定されます。ここでは商品番号を自動的に割り振りたいと考えて、auto_incrementを指定しました。

primary keyというのは、行を一意に識別するための値を表します。primary keyのことを主キーと呼びます。主キーには、行ごとに異なる値を割り当てます。

商品名の列

2番目の列を作成します。この列は商品名です。

```
name varchar(200) not null,
```

列の名前はname、型はvarchar(200)としました。varcharは可変長の文字列を表します（可変長とは、文字数が変化しても扱えることを意味します）。()内の数値は、文字列を格納するための領域の最大長を表します。ここでは最大長が200の文字列にしました。なお、実際に格納できる

文字数は、文字の種類によって異なります。例えば英字と漢字では、1文字を格納するために必要な領域の長さが異なるためです。

not nullというのは、「この列をnullにしてはならない」という制約を表します。nullは「値が設定されていない」という特別な状態を表すための表記です。ここでは、商品名を未設定にすることはできない、という制約を課しています。

🥝 価格の列

3番目の列を作成します。この列は価格です。

```
price int not null
```

列の名前はprice、型は整数を表すintにしました。商品名と同様に、価格もnot nullとして、未設定にすることを禁止しました。

ここまでの処理で、shopデータベースの内部にproductテーブルを定義しました。

Fig テーブルの作成

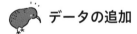 データの追加

productテーブルのなかに、商品のデータを追加します。データを取り出したり検索するためには、テーブルにデータが登録されている必要があるためです。入力するデータは、1行ごとに指定していきます。

```
insert into product values(null, '松の実', 700);
insert into product values(null, 'くるみ', 270);
insert into product values(null, 'ひまわりの種', 210);
...
```

insert intoは、指定したテーブルに新しい行を追加するためのコマンドです。ここではproductテーブルに行を追加します。

追加するデータはvalues(...)のように記述します。() 内には、各列に設定するデータを、「,」で区切って指定します。テーブルに定義した列の順番通りに、データを指定します。

例えば、商品名を「松の実」、価格を「700」とするには、次のようなデータを指定します。

null, '松の実', 700

1番目の列は商品番号です。この列には「auto_increment」を指定して、自動的に番号を割り振ることにしています (p.197)。「null」を指定することで自動的に番号が作成されます。

2番目の列は商品名です。文字列のデータは、このように「'」で囲みます。

3番目の列は価格です。数値のデータは、そのまま記述することができます。

以下の行も同様に、insertコマンドを用いて行を追加します。ここではナッツ類を販売する店の商品を想定して、10種類程度の商品データを追加しました。

Fig　データの追加

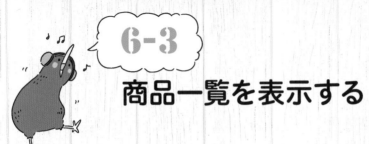

6-3

商品一覧を表示する

データの取得

作成したshopデータベースのproductテーブルを使って、SQLを使ったデータベースの操作方法と、PHPによるプログラミングの方法を学びましょう。最初は、productテーブルに登録された商品の一覧を表示してみます。

▼ここでやること

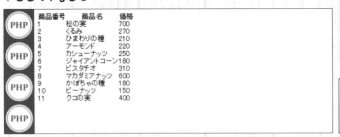

商品番号	商品名	価格
1	松の実	700
2	くるみ	270
3	ひまわりの種	210
4	アーモンド	220
5	カシューナッツ	250
6	ジャイアントコーン	180
7	ピスタチオ	310
8	マカダミアナッツ	600
9	かぼちゃの種	180
10	ピーナッツ	150
11	クコの実	400

> SQLを使って、データベースからデータを取得し、ブラウザ上に表示してみましょう。

phpMyAdminを使って商品一覧を表示する

　　まずはphpMyAdminを使います。phpMyAdminの[データベース]タブ❶を選択し、データベースの一覧から[shop]❷を選択します（[shop]上でクリックします）。あるいは、phpMyAdminの左側に表示されているデータベースの一覧から[shop]を選択します。

Fig　データベースの一覧からshopを選択

次に、phpMyAdminの上側にあるタブから[SQL] ❸を選択します。タブの下側にあるSQLの入力欄には、「データベースshop上でクエリを実行する:」と表示されます。この状態でSQLスクリプトを入力❹して実行すると、shopデータベースを操作することができます。実行は、入力欄右下にある[実行]ボタン❺を選択します。

Fig shopデータベースに対してSQLを実行する

SQLの入力欄には、以下のSQLスクリプトを入力します。ファイルはchapter6¥all.sqlです。

all.sql

```
select * from product;
```

このSQLスクリプトはselect文を使って、指定したテーブルを選択するものです。正しくSQLスクリプトを入力して実行すると商品の一覧が表示され、id、name、priceという3つの列があることが確認できます。例えば最初の行は、idが「1」、nameが「松の実」、priceが「700」です。

Fig 商品一覧の表示

SQLのselect文

select文を使うと、指定したテーブルの、指定した列を取得することができます。

書式　select

```
select 列名 from テーブル名;
```

先ほど実行したSQLスクリプトは以下でした。

```
select * from product;
```

最初にselectと書きます。次の*は全ての列を指定します。最後のfrom productは、product
テーブルを指定します。したがってこのSQLスクリプトは、「productテーブルの全ての列を取得
する」という意味になります。

指定した列だけを取得したい場合には、idやnameといった列名を指定します。複数の列名を指
定する際には、「id, name」のように「,」で区切って並べます。

末尾の「;」は文の区切りを表します。複数のSQL文を実行するときには、文と文を「;」で区切る
必要があります。上記のように単独の文を実行するときには「;」を省略することもできますが、本
書では単独のSQL文についても「;」を記述しています。

step 2　PHPからデータベースに接続する

次はPHPからデータベースを操作してみましょう。テキストエディタを開いて、以下のような
PHPスクリプトを記述します。ファイルはchapter6¥all.phpです。

List　all.php　`PHP`

```php
<?php require '../header.php'; ?>
<?php
$pdo=new PDO('mysql:host=localhost;dbname=shop;charset=utf8',
            'staff', 'password');
?>
<?php require '../footer.php'; ?>
```

先頭の、

```php
<?php require '../header.php'; ?>
```

と、末尾の、

```php
<?php require '../footer.php'; ?>
```

は、以前の章と共通の内容です（p.65）。本章に特有の部分を、リスト上で赤字で示しました。

スクリプトを実行するには、ブラウザで以下のURLを開きます。なお、本章のスクリプトはc:¥xampp¥htdocs¥php¥chapter6フォルダ（macOSの場合は/Applications/MAMP/htdocs/php/chapter6フォルダ）に保存されているものとします。また、phpフォルダ内にheader.phpなどのファイルが保存されているものとします（詳しくはp.65を参照してください）。

実行 http://localhost/php/chapter6/all.php

正しく実行できた場合には、空白のページが表示されます。もしエラーが表示された場合には、エラーが出た行（p.51）を見直してください。また、6-2のStep1の手順（p.188）に従って、MySQLが起動していることを確認してください。

解 説

PDOによるデータベース接続

PHPからデータベースに接続するには、PDOと呼ばれる機能を使います。PDOは、PHPとデータベースとの間の接続機能を提供します。PHPでは、関連する変数や関数をまとめて定義するために、クラスという枠組みを用意しています。PDOはクラスの一種で、データベースを操作するための変数や関数が、まとめて定義されています。

クラスに属する変数のことをプロパティ、クラスに属する関数のことをメソッドと呼びます。例えば、PDOクラスに属するquery関数は「queryメソッド」と呼びます。本書でも以後、メソッドという呼び方を使うことにします。

Fig　クラス

```
クラス
  プロパティ (変数)
  プロパティ (変数)
  ...
  メソッド (関数)
  メソッド (関数)
  ...
```

　PDOクラスを使用するには、次のように記述します。これはPDOのインスタンスを生成する処理です。インスタンスというのは、クラスで定義された機能を、実際に使用できるようにコンピュータのメモリ上に配置したものです。ここでは、クラスを使うためにはインスタンスを生成する、ということだけを覚えておいてください。

書式　PDOのインスタンスの生成

```
$pdo=new PDO(...);
```

　newキーワードは、インスタンスを生成します。生成したインスタンスは、変数に代入しておき、プロパティやメソッドを利用するために使います。ここでは$pdoという変数に、生成したPDOクラスのインスタンスを代入しています。

　「$pdo」の部分には、好きな変数を指定することができます。本書では、PDOを使用するための変数なので、$pdoという変数名にしました。

　PDO(...)の部分は、関数の呼び出し(p.141)に似ています。これはインスタンスを初期化するための、コンストラクタと呼ばれる特別なメソッドを呼び出しています。コンストラクタの...の部分には、インスタンスの初期化に用いる引数(p.141)を書きます。ここで指定した引数に応じたインスタンスが生成されます。

　PDOのコンストラクタを呼び出す際には、データベースに接続するために必要な引数を記述します。本書のスクリプトでは、行が長くなったので2行に分けましたが、1行にまとめて記述しても構いません。引数は「,」で区切って記述します。

```
$pdo=new PDO('mysql:host=localhost;dbname=shop;charset=utf8',
            'staff', 'password');
```

🐦 データベースを識別する情報

ここではコンストラクタに指定する引数が3つあります。第1引数は以下の通りです。この引数はデータベースを識別するための情報で、DSN（Data Source Name）と呼ばれています。

```
'mysql:host=localhost;dbname=shop;charset=utf8'
```

mysqlは、MySQLに接続することを表します。「:」以降に、接続に必要な情報を「;」で区切って並べます。

host=localhostは、MySQLがlocalhostに存在することを表します。本書のMySQLは、XAMPP/MAMPと一緒に手元のコンピュータ上にインストールされているため、localhostを指定します。

dbname=shopは、shopデータベースを表します。charset=utf8は、文字コードとしてUTF-8を使用することを表します。

🐦 接続するユーザー名とパスワード

第2引数は接続用のユーザー名です。今回のshopデータベースを作成する際に準備した、「staff」ユーザーを使います。ユーザー名を「'」で囲んで、次のように記述します。

```
'staff'
```

第3引数はパスワードです。ユーザーを作成する際に指定した、「password」というパスワードを使います。ユーザー名と同様に「'」で囲んで記述します。

```
'password'
```

PHPで商品一覧を表示する

次は接続したデータベースから商品一覧を取得して、ブラウザ上に表示します。Step2のスクリプトに、以下の赤字部分を追記します。ファイルはchapter6¥all2.phpです。

```php
<?php require '../header.php'; ?>
<?php
$pdo=new PDO('mysql:host=localhost;dbname=shop;charset=utf8',
             'staff', 'password');
foreach ($pdo->query('select * from product') as $row) {
    echo '<p>';
    echo $row['id'], ':';
    echo $row['name'], ':';
    echo $row['price'];
    echo '</p>';
}
?>
<?php require '../footer.php'; ?>
```

スクリプトを実行するには、ブラウザで以下のURLを開きます。

実行　http://localhost/php/chapter6/all2.php

正しく実行できた場合には、productテーブルに追加しておいた商品データの一覧が表示されます。ここでは各商品の情報を、「商品番号：商品名：価格」という簡易な形式で表示しました。後で作成するスクリプトでは、より見やすい表の形式で出力します。

Fig　PHPによる商品一覧の表示

もしも正しく実行できなかった場合は、XAMPP/MAMPを使って、ApacheとMySQLが起動していることを確認してください。

 PHPからのselect文の実行

PHPスクリプト内でSQLのselect文（p.202）を実行しているのは、以下の部分です。

```
$pdo->query('select * from product')
```

　PDOのインスタンス（p.204）を代入した変数$pdoを指定することで、PDOクラスに用意された機能が利用可能になります。ここでは、PDOクラスのqueryメソッドを呼び出しています。メソッドを呼び出すには、「変数->メソッド」のように「->」を使って記述します。

　queryメソッドは、引数に指定したSQL文をデータベースに対して実行します。この例のようにselect文を実行すると、接続したデータベース内の指定したテーブルについて、指定した列を取得できます。

書 式　**SQL文の実行**

```
PDOの変数->query('SQL文')
```

 覚えておこう！

　　　　メソッドを呼び出すには、「変数->メソッド」のように記述します。

 取得したデータを1行ずつ処理する

　通常、データベースから取得したデータは複数行にわたります。ここでも、productテーブルを指定してselect文を実行すると、複数行の商品データが返ってきます。複数行のデータを順に処理するには、foreachループ（p.124）のような、繰り返しの制御構造を使う必要があります。

　queryメソッドとforeachループを組み合わせると、複数行のデータを簡単に処理することができます。サンプルスクリプトでは、次のように記述しています。

```
foreach ($pdo->query('select * from product') as $row) {
    ...
}
```

ここではqueryメソッドによって取得された複数行のデータが、1行ずつ順番に変数$rowに代入されます。「...」の部分では、$rowを使って1行分のデータを取得し、表示などの処理を行います。

　なお、データを代入する変数の名前は$row以外でも構いません。データベースにおいて、テーブルの行のことをrowと呼ぶので、本書では変数名を$rowとしました。rowは「ロー」と読みます。

指定した列のデータを取り出す

　例えば、取得した行から「id」の列を取り出すには、次のように記述します。データを代入した$rowに対して、配列の構文（p.82）を使っています。

```
$row['id']
```

　1行分のデータは配列に格納されています。列を取り出すには、列名を配列のキーに指定します。

書式 列のデータを取り出す
配列 ['列名']

　取り出したid列のデータに、「:」を付けて表示します。例えばデータが「1」ならば、「1:」のように表示されます。

```
echo $row['id'], ':';
```

　同様に、行からname列を取り出し、「:」を付けて表示します。例えば「松の実」ならば、「松の実:」のように表示されます。

```
echo $row['name'], ':';
```

　最後に、行からprice列を取り出して表示します。例えば「700」のように表示します。

```
echo $row['price'];
```

　以上の処理によって、「1:松の実:700」のように各行を表示します。foreachループで繰り返すことで、最後の行までのデータを表示することができます。なお、サンプルスクリプトでは、HTMLの<p>タグと</p>タグを用いて、ブラウザが各行を改行しながら表示するようにしています。

覚えておこう！

foreachループを使うことで、1行ずつデータを処理することができます。

スクリプトをシンプルにする

Step3のスクリプトを、より簡潔に記述する方法を紹介します。赤字の部分がStep3（p.205）からの変更箇所です。ファイルは**chapter6¥all3.php**です。

List all3.php　　　　　　　　　　　　　　　　　　　　　　　　　　　　PHP

```php
<?php require '../header.php'; ?>
<?php
$pdo=new PDO('mysql:host=localhost;dbname=shop;charset=utf8',
            'staff', 'password');
foreach ($pdo->query('select * from product') as $row) {
    echo "<p>$row[id]:$row[name]:$row[price]</p>";
}
?>
<?php require '../footer.php'; ?>
```

スクリプトを実行するには、ブラウザで以下のURLを開きます。

実行 http://localhost/php/chapter6/all3.php

正しく実行できた場合には、Step3と同様に商品の一覧が表示されます。

解説

文字列内に変数の値を展開する

Chapter3で解説したように、PHPで文字列を記述するには、シングルクォート（'）で囲む方法と、ダブルクォート（"）で囲む方法があります（p.48）。このうちダブルクォートを使った文字列には、文字列内に変数の値を組み込む機能があります。

ダブルクォートを用いた以下のスクリプトは、$row['name']の値を表示します。変数$rowには

テーブルの1行分が配列として格納されているので、$row['name']はname列の値、例えば「松の実」です。

```
echo "$row[name]";
```

通常、配列のキー（p.83）に文字列を指定するときには、

```
$row['name']
```

のようにキーをシングルクォートで囲む必要があります。一方、ダブルクォートを用いた文字列の内部では、キーに文字列を指定するときに、

```
"$row[name]"
```

のように、キーをシングルクォートで囲みません。

例えば「松の実:」のように表示したいとき、シングルクォートを用いたスクリプトは、次のように記述します。

```
echo $row['name'], ':';
```

ダブルクォートを用いると、次のようにスクリプトを簡潔にすることができます。

```
echo "$row[name]:";
```

このようにダブルクォートの文字列を使うと、スクリプトが簡潔になる場合があります。とはいえ出力結果は同じなので、シングルクォートの文字列を使っても構いません。

HTMLの表を使って見やすく表示する

productテーブルに登録された商品の一覧を、HTMLの表（テーブル）を使って、見やすく表示してみましょう。Step3のスクリプトを、次のように変更します。変更箇所を赤字で示しました。ファイルはchapter6¥all4.phpです。

all4.php
PHP

```php
<?php require '../header.php'; ?>
<table>
```

```
<tr><th>商品番号</th><th>商品名</th><th>価格</th></tr>
<?php
$pdo=new PDO('mysql:host=localhost;dbname=shop;charset=utf8',
             'staff', 'password');
foreach ($pdo->query('select * from product') as $row) {
    echo '<tr>';
    echo '<td>', $row['id'], '</td>';
    echo '<td>', $row['name'], '</td>';
    echo '<td>', $row['price'], '</td>';
    echo '</tr>';
    echo "\n";
}
?>
</table>
<?php require '../footer.php'; ?>
```

スクリプトを実行するには、ブラウザで以下のURLを開きます。

実行 http://localhost/php/chapter6/all4.php

正しく実行できた場合には、商品一覧の表が出力されます。表の先頭には、「商品番号」「商品名」「価格」という見出しも表示されます。

Fig 商品一覧の表

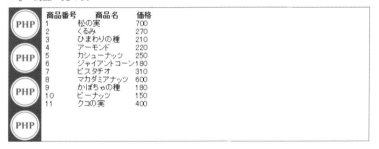

解 説

🥝 HTMLで表を作成するタグ

このスクリプトでは次の表のようなHTMLのタグを用いて、表を作成します。

Table　利用するHTMLタグ

タグ	内容
\<table>	表（テーブル）
\<tr>	表の内部にある行
\<th>	行の内部にある見出しセル
\<td>	行の内部にあるデータセル

次のように記述すれば、商品一覧の表を生成することができます。

```
<table>
    <tr>
        <th>商品番号</th>
        <th>商品名</th>
        <th>価格</th>
    </tr>
    <tr>
        <td>1</td>
        <td>松の実</td>
        <td>700</td>
    </tr>
    <tr>
        <td>2</td>
        <td>くるみ</td>
        <td>270</td>
    </tr>
    ...
</table>
```

そこで、PHPスクリプトで以上の内容を出力します。先頭の\<table>タグと見出しの部分、

```
<table>
<tr><th>商品番号</th><th>商品名</th><th>価格</th></tr>
```

と、末尾の\</table>タグ、

```
</table>
```

は、PHPタグ（\<?phpと?>）の外側に記述しています。PHPタグの外側に記述した内容は、そのまま出力されます。

商品情報の部分、例えば商品番号は、

```
echo '<td>', $row['id'], '</td>';
```

212

のように、echoを使って出力しています。商品名や価格も同様です。

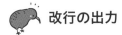 改行の出力

　Step5のスクリプトでは、表の各行を改行して出力しています。改行することによって、次のように出力結果が人間にとって読みやすくなります。

```
<tr><td>1</td><td>松の実</td><td>700</td></tr>
<tr><td>2</td><td>くるみ</td><td>270</td></tr>
・・・
```

　改行しないと、次のように複数行が1行につながってしまい、人間には読みにくくなります。

```
<tr><td>1</td><td>松の実</td><td>700</td></tr><tr><td>2</td><td>くるみ</td><td>270</td></tr>...
```

　改行の有無にかかわらず、ブラウザによるページの表示結果は同じなので、改行は必須ではありません。しかし、人間にとって読みやすくしておくと、もし意図した表示結果が得られないときに、問題を特定することが楽になります。
　改行を出力するのは次の処理です。

```
echo "¥n";
```

　¥nは文字列内で改行を表す記法です。¥nを文字列に含めるときには、「"¥n"」のようにダブルクォートで囲む必要があります。「'¥n'」のようにシングルクォートで囲むと、改行ではなく「¥n」という文字列がそのまま出力されてしまいます。
　このように¥を使って改行などの特別な文字を表現したものを、エスケープシーケンスと呼びます。環境によっては、¥（円記号）のかわりに\（バックスラッシュ）を使うことがあるので、ご注意ください。Windowsでは¥を、macOSでは\を使うことが多いです。

 より安全にデータを表示する

　データベースから取得したデータを出力する際に、HTMLにおいて特別な働きを持つ文字が含まれていると、ブラウザ上の表示が乱れたり、セキュリティ上の問題が起きたりする可能性があります。これらを防ぐためには、Step5のスクリプトを次のように変更します。変更箇所を赤字で示し

ました。ファイルはchapter6¥all5.phpです。

 all5.php

```php
<?php require '../header.php'; ?>
<table>
<tr><th>商品番号</th><th>商品名</th><th>価格</th></tr>
<?php
$pdo=new PDO('mysql:host=localhost;dbname=shop;charset=utf8',
             'staff', 'password');
foreach ($pdo->query('select * from product') as $row) {
    echo '<tr>';
    echo '<td>', htmlspecialchars($row['id']), '</td>';
    echo '<td>', htmlspecialchars($row['name']), '</td>';
    echo '<td>', htmlspecialchars($row['price']), '</td>';
    echo '</tr>';
    echo "¥n";
}
?>
</table>
<?php require '../footer.php'; ?>
```

スクリプトを実行するには、ブラウザで以下のURLを開きます。

実行 http://localhost/php/chapter6/all5.php

正しく実行できた場合には、Step5と同様に、商品一覧の表が出力されます。

 解 説

特別な働きの無効化

Step5においては、データベースから取得したデータを、次のように元のまま表示していました。

    $row['name']

この方法では、データに「<」や「>」といった、HTMLにおいて特別な働きを持つ文字が含まれているときに、ブラウザにおける表示が乱れる可能性があります。また、JavaScriptを使ったスクリプトなどが含まれていると、気づかないうちにブラウザがスクリプトを実行してしまう危険性もあります。

そこでStep6では、次のようにPHPのhtmlspecialchars関数を用いて、データを加工してから

214

表示します。

```
htmlspecialchars($row['name'])
```

　htmlspecialchars関数は、HTMLにおいて特別な働きを持つ文字について、特別な働きを失わせる関数です。例えば「<」を「<」に、「>」を「&rt;」に変換し、ブラウザがこれらの文字をそのまま画面に表示できるようにします。

　データベースに登録されているデータに、HTMLにおいて特別な働きを持つ文字（<、>、&、"、'）が含まれていないことが確実ならば、Step5のようにhtmlspecialchars関数を省略することもできます。これらの文字が含まれている可能性があるならば、Step6のようにhtmlspecialchars関数を使うとよいでしょう。なお本書では、スクリプトを簡潔にするためにhtmlspecialchars関数を使用しない場合があります。

覚えておこう！

　　特別な働きを持つ文字が含まれている場合は、htmlspecialchars関数を使いましょう。

Note!

🔊 関数の定義

　PHPは多数の定義済みの関数を提供していますが、プログラマが自分で関数を定義することもできます。関数の定義は次のような構文で行います。

書式　**関数の定義**

```
function 関数名(引数, ...) {
    処理;
    ...
    return 戻り値;
}
```

以下は簡単な関数定義の例です。

```
function h($string) {
    return htmlspecialchars($string);
}
```

この関数は、htmlspecialchars関数を使って引数$stringを加工し、結果を戻り値として返します。この関数を使うと、htmlspecialchars($row['name'])のような長い記述を、h($row['name'])のように短く書くことができます。

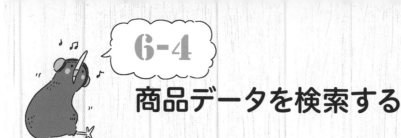

6-4
商品データを検索する

Webページ上の入力欄に商品名を入力して、商品を検索する機能を作ってみましょう。最初は、入力した文字列に完全に一致する商品を表示します。次に、入力した文字列を商品名に含む商品を表示する、部分一致検索の機能を実現します。

▼ ここでやること

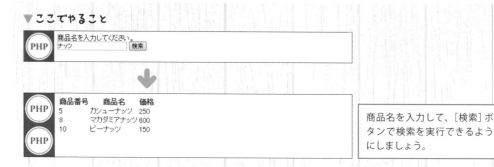

商品名を入力して、[検索] ボタンで検索を実行できるようにしましょう。

SQLを使って商品名で商品を検索する

まずは商品を検索するためのSQL文を見てみましょう。6-3のStep1（p.200）と同様に、phpMyAdminで「shop」データベースを指定して、上側にあるタブから [SQL] タブを選択しておきます。

SQLの入力欄に以下のSQL文を入力します。ファイルはchapter6¥search.sqlです。入力できたら、入力欄の右下にある[実行]ボタンを選択してSQLを実行します。

search.sql   SQL

```sql
select * from product where name='カシューナッツ';
```

正しくSQL文を入力して実行すると、ブラウザの画面中央に、idが「5」、nameが「カシューナッツ」、priceが「250」の行が表示されます。

Fig　検索結果の表示

←T→			▼ id	name	price
☐	🖉 編集	⁂i コピー ⊜ 削除	5	カシューナッツ	250

 select文のwhere句

where句は、SQLのselect文において検索の条件を指定する機能です。whereに続けて条件式を記述します。例えば、name列が「カシューナッツ」である行を検索するには、次のように書きます。

```
where name='カシューナッツ'
```

「=」は比較を行うSQLの演算子です。この例では、nameとカシューナッツが等しいかどうかを調べます。等しければ、条件が成立したことになります。

書式 | where
```
where 列名='検索キーワード'
```

 step 2 **商品名で商品を検索する（入力画面）**

次はPHPスクリプトで商品検索機能を実現してみましょう。最初に、商品名を入力するためのフォームを用意するために、以下のようなスクリプトを記述します。ファイルはchapter6¥search-input.phpです。

List search-input.php `PHP`
```php
<?php require '../header.php'; ?>
商品名を入力してください。
<form action="search-output.php" method="post">
<input type="text" name="keyword">
<input type="submit" value="検索">
</form>
<?php require '../footer.php'; ?>
```

スクリプトを実行するには、ブラウザで以下のURLを開きます。

実行 http://localhost/php/chapter6/search-input.php

正しく実行できた場合には、「商品名を入力してください。」というメッセージと、商品名の入力欄、そして［検索］ボタンが表示されます。

Fig　商品名の入力画面

このスクリプトでは、HTMLの<form>タグと<input>タグを使って、商品名の入力画面を作成します。入力した検索キーワードは、次のStep3で解説する出力用のスクリプト（search-output. php）に渡します。

```
<form action="search-output.php" method="post">
```

商品名が検索のキーワードになるので、出力用スクリプトに渡すリクエストパラメータ名（name属性の値）は、次のように「keyword」としました。

```
<input type="text" name="keyword">
```

テキストボックスを使った処理の詳細については、Chapter3（p.63）を参照してください。

Step 3　商品名で商品を検索する（出力用スクリプト）

フォームで入力された検索キーワードを使って、商品を検索するPHPスクリプトを作成しましょう。次のようなスクリプトを記述します。ファイルはchapter6¥search-output.phpです。このスクリプトは、Step2で作成した入力用スクリプトから実行されます。

このスクリプトには、6-3のStep5（p.210）で解説した、商品の一覧を表示するスクリプトと共通の部分が多くあります。異なる部分を赤字で示しました。

List　search-output.php

```php
<?php require '../header.php'; ?>
<table>
<tr><th>商品番号</th><th>商品名</th><th>価格</th></tr>
<?php
$pdo=new PDO('mysql:host=localhost;dbname=shop;charset=utf8',
             'staff', 'password');
$sql=$pdo->prepare('select * from product where name=?');
```

```
$sql->execute([$_REQUEST['keyword']]);
foreach ($sql as $row) {
    echo '<tr>';
    echo '<td>', $row['id'], '</td>';
    echo '<td>', $row['name'], '</td>';
    echo '<td>', $row['price'], '</td>';
    echo '</tr>';
    echo "¥n";
}
?>
</table>
<?php require '../footer.php'; ?>
```

　スクリプトを実行してみましょう。Step2で作成した商品名の入力画面で、入力欄に商品名を指定し、[検索] ボタンを選択してください。

　例えば「カシューナッツ」と入力します。

Fig 「カシューナッツ」と入力する

　[検索] ボタンを選択すると、search-output.phpが実行されて、次のような検索結果が表示されます。

Fig 「カシューナッツ」の検索結果

 解 説

 SQL文の準備（prepareメソッド）

　入力欄で指定した商品を検索するためには、入力した商品名を設定したうえで、SQL文を実行する必要があります。そのためには、PDOクラスのprepareメソッドとPDOStatementクラスのexecuteメソッドを使います。

　prepareメソッドは、SQL文を実行する準備を行います。prepareメソッドの引数には、SQL文

を文字列で指定します。このときSQL文のなかに「?」を含めることができ、?の部分には後から好きな値を設定することができます。今回は次のようなSQL文を書きました。

```
select * from product where name=?
```

select文で取得したテーブルのなかから、where句で指定した条件に一致する行を取得します。このSQL文を、次のようにprepareメソッドの引数にします。$pdoは、PDOクラスのインスタンス（p.204）を代入した変数です。

```
$pdo->prepare('select * from product where name=?')
```

```
PDOの変数->prepare('SQL文')
```

prepareメソッドは、SQL文がセットされたPDOStatementインスタンスを返します。このインスタンスはSQL文を実行するために必要なので、変数に代入しておきます。ここでは$sqlという変数名にしました。

```
$sql=$pdo->prepare('select * from product where name=?');
```

Fig　prepareメソッドの動作

❶prepareメソッドにSQL文を引数として渡す。
❷SQL文がセットされたPDOStatementインスタンスを
　変数$sqlに代入する。

 ## SQL文の実行（executeメソッド）

prepareメソッドに引数として渡したSQL文を実行するためには、PHPに用意されたPDOStatementクラスのexecuteメソッドを使います。既にprepareメソッドによってPDOStatementインスタンスが作成されているので、インスタンスを代入した変数$sqlを用いれば、次のようにexecuteメソッドを実行することができます。

```
$sql->execute([$_REQUEST['keyword']]);
```

executeメソッドの引数には、SQL文のなかの「?」部分に設定する値を、配列にして渡します。配列にするのは、1つのSQL文内に複数箇所の?を配置することができるからです。前の方にある?から順番に、配列で指定した値が設定されます。

複数の?がある場合は、外側を [ ] で囲んだうえで、複数の値を「,」で区切って [値，値，...] のように並べます。?が1個だけの場合には、[値] のように外側を [ ] で囲むだけです。
ここではkeywordという名前のリクエストパラメータを使います。

```
$_REQUEST['keyword']
```

このリクエストパラメータを、[ ] で囲んで配列にします。

```
[$_REQUEST['keyword']]
```

これで、

```
select * from product where name=?
```

のようなSQL文に、入力欄に入力した商品名が設定されて、

```
select * from product where name='カシューナッツ'
```

のようなSQL文となって実行されます。
なお、リクエストパラメータに関する詳細はChapter3（p.69）を参照してください。

覚えておこう！

prepareメソッドで準備したSQLスクリプトを、executeメソッドで実行します。

SQLスクリプトを実行した結果の取得

SQLスクリプトをexecuteメソッドで実行した結果を処理するには、PDOStatementインスタンス（p.220）とforeachループ（p.124）を組み合わせて、次のように記述します。$sqlはPDOStatementインスタンスを代入した変数です。

```
foreach ($sql as $row) {
```

書式 **SQLスクリプトの実行結果をforeachループで処理する**

```
foreach （PDOStatementの変数 as 結果を代入する変数）
```

ここでは結果を1行ずつ取得して、変数$rowに代入します。あとは6-3のStep5（p.210）と同じです。変数$rowを使って、表示などの処理を行うことができます。例えば商品名は、次のように取得できます。

```
$row['name']
```

商品名を出力する場合は、次のように記述します。

```
echo '<td>', $row['name'], '</td>';
```

 部分一致で商品を検索する

Step1〜3の方法は、入力した商品名が完全に一致する商品だけを検索します。一方で、SQL文を少し変更すると、商品名が部分一致する商品を検索することもできます。例えば「ナッツ」と入力したときに、「カシューナッツ」や「マカダミアナッツ」のように、名前に「ナッツ」を含む全ての商品を検索することが可能です。

まずはphpMyAdminを使って、部分一致検索を実行してみましょう。Step1（p.216）と同様に、shopデータベースを指定したうえで[SQL]タブを選択し、入力欄に以下のSQL文を入力します。ファイルはchapter6¥search2.sqlです。入力できたら、入力欄の右下にある[実行]ボタンを選択して実行します。

```
select * from product where name like '%ナッツ%';
```

正しくSQL文を入力して実行すると、「カシューナッツ」「マカダミアナッツ」「ピーナッツ」という3行が表示されます。

Fig　検索結果の表示

←T→			▼ id	name	price
☐ 🖉 編集 ┋ᵢ コピー ⊜ 削除			5	カシューナッツ	250
☐ 🖉 編集 ┋ᵢ コピー ⊜ 削除			8	マカダミアナッツ	600
☐ 🖉 編集 ┋ᵢ コピー ⊜ 削除			10	ピーナッツ	150

解 説

like演算子による部分一致の検索

SQLのselect文のwhere句の条件式でlike演算子を使うと、文字列の比較を行うことができます。like演算子では、条件に指定する文字列内で%記号を使うことができます。これはワイルドカードと呼ばれる記法の1つで、0個以上の任意の数の文字に一致します。したがって、

%ナッツ%

のような表現は、以下のいずれの文字列にも一致します。

▶ ナッツ　　　　　→「ナッツ」単独
▶ ピーナッツ　　　→「ナッツ」の前に文字列がある
▶ ナッツ専門店　　→「ナッツ」の後に文字列がある
▶ ピーナッツバター →「ナッツ」の前後に文字列がある

like演算子を使って、次のようなwhere句を記述することで、name列に保存された商品名に「ナッツ」という文字を含む全ての商品を検索することができます。

```
where name like '%ナッツ%'
```

覚えておこう！

like演算子とワイルドカードで、部分一致の検索処理を作ることができます。

商品名の部分一致で商品を検索する

step 5

　フォームの入力欄で入力された検索キーワードが「含まれている」商品名を検索するPHPスクリプト
を作成しましょう。次のようなスクリプトを記述してください。ファイルはchapter6¥search-
output2.phpです。Step3（p.218）で作成したスクリプト（search-output.php）と同様に、フォー
ムの［検索］ボタンを選択することで実行されます。Step3との相違点を赤字で示しました。

search-output2.php　　　　　　　　　　　　　　　　　　　　　　　　　　　　　　　　　　　PHP

```php
<?php require '../header.php'; ?>
<table>
<tr><th>商品番号</th><th>商品名</th><th>価格</th></tr>
<?php
$pdo=new PDO('mysql:host=localhost;dbname=shop;charset=utf8',
            'staff', 'password');
$sql=$pdo->prepare('select * from product where name like ?');
$sql->execute(['%'.$_REQUEST['keyword'].'%']);
foreach ($sql as $row) {
    echo '<tr>';
    echo '<td>', $row['id'], '</td>';
    echo '<td>', $row['name'], '</td>';
    echo '<td>', $row['price'], '</td>';
    echo '</tr>';
    echo "\n";
}
?>
</table>
<?php require '../footer.php'; ?>
```

　次に、入力フォームから「search-output2.php」を呼び出すように、Step2で作成したPHPス
クリプト（p.217）を変更します。変更後のファイルはchapter6¥search-input2.phpとします。

 search-input2.php

```php
<?php require '../header.php'; ?>
商品名を入力してください。
<form action="search-output2.php" method="post">
<input type="text" name="keyword">
<input type="submit" value="検索">
</form>
<?php require '../footer.php'; ?>
```

スクリプトを実行するには、ブラウザで以下のURLを開きます。

実行 http://localhost/php/chapter6/search-input2.php

正しく実行できた場合には、Step2と同様に、「商品名を入力してください。」というメッセージと、商品名の入力欄、そして[検索]ボタンが表示されます。入力欄に検索キーワードを入力して、[検索]ボタンを選択してください。

例えば「ナッツ」と入力します。

Fig 「ナッツ」と入力する

[検索]ボタンを選択すると、次のような検索結果が表示されます。「ナッツ」を商品名に含む、全ての商品が表示されています。

Fig 「ナッツ」の検索結果

 like演算子とワイルドカードの扱い

prepareメソッドに渡すSQL文でlike演算子を使うには、例えば次のように記述します。like
の後は、入力した値が指定できるように?にしておきます。

```
$sql=$pdo->prepare('select * from product where name like ?');
```

?の部分に渡す文字列は、%ナッツ%のように両側に%を付加する必要があります。そこで、文字
列の結合演算子「.」を使って、検索キーワードの両側に%を付加します。

```
'%'.$_REQUEST['keyword'].'%'
```

%を付加した文字列を配列にしたうえでexecuteメソッドに引数として渡して、SQLスクリプト
を実行します（p.220）。

```
$sql->execute(['%'.$_REQUEST['keyword'].'%']);
```

この方法で、多くのショッピングサイトが提供している、商品の検索機能に相当する処理を実現す
ることができます。

📢 **キーワードを含まない商品名の検索**

　実際のショッピングサイトでは、指定したキーワードを含まない商品を検索する機能を提供している
ことがあります。指定したキーワードを含まない商品名を検索するには、like演算子の前にnotを付けて、
not likeと書きます。
　例えば次のSQL文は、商品名にナッツを含まない商品を検索します。phpMyAdminで実行してみてく
ださい。結果は松の実、くるみ、ひまわりの種...となります。

```
select * from product where name not like '%ナッツ%';
```

　like演算子とnot like演算子を組み合わせて使うこともできます。例えば次のSQL文は、商品名にナッ
ツを含むが、ピーナッツを含まない商品を検索します。andは前後の条件がともに成立したかどうかを調
べる演算子です。実行結果はカシューナッツとマカダミアナッツです。

```
select * from product where name like '%ナッツ%' and name not like '%ピーナッツ%';
```

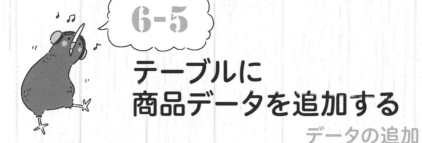

6-5

テーブルに
商品データを追加する

データの追加

商品名と価格を入力して、データベースに商品データを追加する機能を作ってみましょう。最初は、入力した商品名と価格をそのままデータベースに追加します。次に、商品名や価格が空欄ではないか、価格が整数であるかどうかを確認したうえで追加する機能を実現します。

▼ ここでやること

> PHP
>
> 商品を追加します。
> 商品名 ローストピーナッツ   価格 220   [追加]

↓

> PHP
>
> 追加に成功しました。

> 入力欄に入力した商品データを、データベース上に追加する処理を作成しましょう。

商品データを追加するSQL文

まずはphpMyAdminを使います。6-3のStep1（p.200）と同様に、phpMyAdminの左側に表示されているデータベースの一覧から［shop］を指定し、［SQL］タブを選択しておきます。

SQLの入力欄に、以下のSQL文を入力します。ファイルはchapter6¥insert.sqlです。入力できたら、入力欄の右下にある［実行］ボタンを選択して、SQLを実行します。

List   insert.sql   SQL

```sql
insert into product values(null, 'バターピーナッツ', 200);
```

正しくSQL文を入力して実行すると、nameが「バターピーナッツ」、priceが「200」の行がproductテーブルの末尾に追加されます。

```
✓ 1 行挿入しました。
id 12 の行を挿入しました (クエリの実行時間: 0.0004 秒。)

insert into product values(null, 'バターピーナッツ', 200);
```
　　　　　　　　　　　　　　　　　　[インライン編集] [編集] [PHP コードの作成]

　idは自動的に割り当てられます。idの値は、今までに割り当てられたidの最大値＋1になります。例えば今までのidの最大値が「11」ならば、追加した行のidは「12」になります。

Fig　新しい行が追加されたテーブル

		id	name	price
□ 🖊 編集 ⭲ᶜ コピー ⊜ 削除		1	松の実	700
□ 🖊 編集 ⭲ᶜ コピー ⊜ 削除		2	くるみ	270
□ 🖊 編集 ⭲ᶜ コピー ⊜ 削除		3	ひまわりの種	210
□ 🖊 編集 ⭲ᶜ コピー ⊜ 削除		4	アーモンド	220
□ 🖊 編集 ⭲ᶜ コピー ⊜ 削除		5	カシューナッツ	250
□ 🖊 編集 ⭲ᶜ コピー ⊜ 削除		6	ジャイアントコーン	180
□ 🖊 編集 ⭲ᶜ コピー ⊜ 削除		7	ピスタチオ	310
□ 🖊 編集 ⭲ᶜ コピー ⊜ 削除		8	マカダミアナッツ	600
□ 🖊 編集 ⭲ᶜ コピー ⊜ 削除		9	かぼちゃの種	180
□ 🖊 編集 ⭲ᶜ コピー ⊜ 削除		10	ピーナッツ	150
□ 🖊 編集 ⭲ᶜ コピー ⊜ 削除		11	クコの実	400
□ 🖊 編集 ⭲ᶜ コピー ⊜ 削除		12	バターピーナッツ	200

解　説

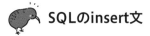

SQLのinsert文

　SQLのinsert文を使うと、指定したテーブルに対して新しい行を追加することができます。例えばproductテーブルに新しい行を追加するには、次のように記述します。

```
insert into product
```

　新しい行に設定する列の値は、values(...)のように記述します。...の部分には、列に設定する値を「,」で区切って並べます。

```
values(null, 'バターピーナッツ', 200)
```

　自動的に割り当てられるid列の値（p.197）はnullとしています。nullは値が未設定であることを表します。

書式	insert

```
insert into テーブル名 values(列1の値, 列2の値, ...)
```

覚えておこう！

データの追加はinsert文を使い、テーブルと追加する値を指定します。

step 2 商品データを追加する（入力画面）

次はPHPスクリプトによる商品追加機能を実現しましょう。まずは、商品名と価格を入力するためのフォームを用意します。以下のようなスクリプトを記述してください。ファイルはchapter6¥insert-input.phpです。

List insert-input.php　　　　　　　　　　　　　　　　　　　　　　　　　　　　　PHP

```php
<?php require '../header.php'; ?>
<p>商品を追加します。</p>
<form action="insert-output.php" method="post">
商品名<input type="text" name="name">
価格<input type="text" name="price">
<input type="submit" value="追加">
</form>
<?php require '../footer.php'; ?>
```

スクリプトを実行するには、ブラウザで以下のURLを開きます。

実行　http://localhost/php/chapter6/insert-input.php

正しく実行できた場合には、「商品を追加します。」というメッセージと、商品名と価格の入力欄、そして［追加］ボタンが表示されます。

Fig　商品追加の入力画面

このPHPスクリプトでは、HTMLの<form>タグと<input>タグを使って、商品名と価格の入力画面を作成します。次のStep3で解説するPHPスクリプトに渡すリクエストパラメータ名（name属性の値）は、商品名がname、価格がpriceです。

商品データを追加する（出力用スクリプト）

フォームで入力した商品名と価格を使って、データベースに商品データを追加するPHPスクリプトを作成しましょう。次のようなスクリプトを記述します。

ファイルはchapter6¥insert-output.phpです。データベースに接続する処理は今までと共通です。今までと異なる部分を赤字で示しました。

insert-output.php `PHP`

```php
<?php require '../header.php'; ?>
<?php
$pdo=new PDO('mysql:host=localhost;dbname=shop;charset=utf8',
             'staff', 'password');
$sql=$pdo->prepare('insert into product values(null, ?, ?)');
if ($sql->execute([$_REQUEST['name'], $_REQUEST['price']])) {
    echo '追加に成功しました。';
} else {
    echo '追加に失敗しました。';
}
?>
<?php require '../footer.php'; ?>
```

スクリプトを実行してみましょう。このスクリプトは、入力用のフォーム画面から実行されます。Step2で作成した入力画面で、商品名と価格を指定し、[追加]ボタンを選択してください。

例えば、商品名に「ローストピーナッツ」、価格に「220」を入力します。

Fig　商品名と価格を入力する

[追加]ボタンを選択すると、「追加に成功しました。」と表示されます。

追加に成功しました。

phpMyAdminや、6-3(p.210)の商品一覧を表示するスクリプトを使って、テーブルを確認してみてください(http://localhost/php/chapter6/all4.php)。テーブルの最後に、「ローストピーナッツ」の行が追加されているはずです。

Fig 行が追加されたテーブル

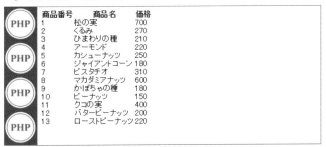

商品番号	商品名	価格
1	松の実	700
2	くるみ	270
3	ひまわりの種	210
4	アーモンド	220
5	カシューナッツ	250
6	ジャイアントコーン	180
7	ピスタチオ	310
8	マカダミアナッツ	600
9	かぼちゃの種	180
10	ピーナッツ	150
11	クコの実	400
12	バターピーナッツ	200
13	ローストピーナッツ	220

insert文の記述が間違っていると、insert文の実行に失敗して、「追加に失敗しました。」というメッセージが出力されることがあります。失敗のメッセージが出る場合には、prepareメソッドとexecuteメソッドの行を見直して、間違いを修正してください。

解 説

PHPからのinsert文の実行

PHPで実行するinsert文は以下です。入力フォームで値を設定したい部分は、「?」にしておきます。ここでは、商品名(name)と価格(price)を?にしています。

```
insert into product values(null, ?, ?)
```

insert文を実行するには、6-4(p.218)におけるselect文の場合と同じように、prepareメソッドを用います(p.219)。prepareメソッドに対して、insert文を記述した文字列を渡します。$pdoは、PDOクラスのインスタンス(p.204)を代入した変数です。

```
$pdo->prepare('insert into product values(null, ?, ?)')
```

prepareメソッドはPDOStatementインスタンスを返すので、変数に代入しておきます（p.220）。変数名は$sqlとしました。

```
$sql=$pdo->prepare('insert into product values(null, ?, ?)');
```

?の部分に設定したいのは、$_REQUEST['name']で取得できる商品名と、$_REQUEST['price']で取得できる価格です。これらを配列にします。「,」で区切って、全体を[ ]で囲みます。

```
[$_REQUEST['name'], $_REQUEST['price']]
```

この配列をexecuteメソッド（p.220）に渡して、SQL文を実行します。

```
$sql->execute([$_REQUEST['name'], $_REQUEST['price']])
```

executeメソッドは、prepareメソッドによって引き渡したSQL文が正しく実行されるとTRUE、実行に失敗するとFALSEを返します。そこで、次のようにif文（p.89）を使って、成功か失敗かを判定します。

```
if ($sql->execute([$_REQUEST['name'], $_REQUEST['price']])) {
```

TRUEの場合にはif以下を実行し、成功したことを表示します。FALSEの場合にはelse以下を実行し、失敗したことを表示します。

 覚えておこう！

executeメソッドは、成功するとTRUE、失敗するとFALSEを返します。

 入力値を確認してから商品を追加する

Step3では、ユーザーが入力した値が適切かどうかを確認せずに、そのままデータベースに追加しています。このままでは、ユーザーが不適切な値を入力した場合、データベースに不適切な値が登録されてしまう可能性があります。また、入力欄が空の場合も、[追加] ボタンでデータを追加

できてしまいます。その場合は、商品名は空白で、価格は0で追加されます。

例えば、Step3のスクリプトにおいて、商品名に「<script>alert("hello");</script>」という文字列を入力して、追加してみてください。価格は適当に、例えば0円などで構いません。

Fig　不適切な商品名を追加

追加に成功したら、商品一覧を表示する6-3のPHPスクリプト（p.210）で確認してみましょう。ブラウザで以下のURLを開いてください。

実行　http://localhost/php/chapter6/all4.php

商品一覧が表示されると同時に、画面に「hello」というダイアログが出現します（ブラウザの設定によっては、出現しない可能性もあります）。

Fig　ダイアログの出現

先ほど商品名として登録した文字列は、実は画面にダイアログを出現させるJavaScriptのスクリプトです。そのため、ブラウザが商品名を表示しようとしたときに、JavaScriptのスクリプトとして実行してしまい、ダイアログが出現してしまいます。

6-3のStep6（p.213）のようにhtmlspecialchars関数を使用すれば、HTMLタグ（ここでは<script>や</script>）を無効化することで、JavaScriptのスクリプトを無効化できます。そこで、商品データを追加する際に、商品名や価格として入力された内容が適切かどうかを確認するとともに、タグを無効化しましょう。次のようなスクリプトを記述します。ファイルはchapter6¥insert-output2.phpです。Step3と異なる部分を赤字で示しています。

List　insert-output2.php　　　　　　　　　　　　　　　　　　　　　　　　　　　PHP

```php
<?php require '../header.php'; ?>
<?php
$pdo=new PDO('mysql:host=localhost;dbname=shop;charset=utf8',
```

```
              'staff', 'password');
$sql=$pdo->prepare('insert into product values(null, ?, ?)');
if (empty($_REQUEST['name'])) {
    echo '商品名を入力してください。';
} else
if (!preg_match('/^[0-9]+$/', $_REQUEST['price'])) {
    echo '価格を整数で入力してください。';
} else
if ($sql->execute(
    [htmlspecialchars($_REQUEST['name']), $_REQUEST['price']]
)) {
    echo '追加に成功しました。';
} else {
    echo '追加に失敗しました。';
}
?>
<?php require '../footer.php'; ?>
```

次に、入力フォームから「insert-output2.php」を呼び出すように、Step2で作成したPHPスクリプトを変更します。変更後のファイルはinsert-input2.phpとします。

List **insert-input2.php**   PHP

```
<?php require '../header.php'; ?>
<p>商品を追加します。</p>
<form action="insert-output2.php" method="post">
商品名<input type="text" name="name">
価格<input type="text" name="price">
<input type="submit" value="追加">
</form>
<?php require '../footer.php'; ?>
```

スクリプトを実行してみましょう。ブラウザで以下のURLを開いてください。

実行 http://localhost/php/chapter6/insert-input2.php

商品名と価格を指定し、[追加] ボタンを選択してください。例えば、商品名に「ハニーローストピーナッツ」、価格に「240」を指定します。

Fig **商品名と価格を入力する**

234

[追加] ボタンを選択すると、「追加に成功しました。」と表示されます。

Fig　追加が成功したところ

このスクリプトでは、商品名が空のときには追加できないようにしています。入力フォームに戻り、商品名を空にして、[追加] ボタンを選択してみてください。「商品名を入力してください。」と表示されるはずです。

Fig　商品名が空のときには追加に失敗する

価格が整数でないときにも追加できないようにしています。価格を空にしたり、例えば「abc」のように整数以外にしてみてください。

Fig　価格を整数以外にする

価格を整数以外にして [追加] ボタンを選択すると、追加に失敗するはずです。

Fig　価格が整数以外のときには追加に失敗する

価格を整数で入力してください。

次に、商品名にJavaScriptのスクリプトを含む場合について実験してみましょう。もし先ほどダイアログを出現させる実験を行った場合には、phpMyAdminでproductテーブルを表示し、商品名に「<script>」が含まれる行を、[削除] ボタンを選択して削除しておいてください。あるいは、6-2のStep2 (p.190) で説明したSQLスクリプトを実行して、データベースを初期状態に戻してください。

今回のPHPスクリプトは、商品名として入力された文字列のなかに、<や>のようなHTMLにおける特別な文字が含まれている場合に、特別な働きを無効化します。例えば、商品名として「<script>alert("hello");</script>」を入力し、適当な価格を入力して、[追加] ボタンを選択してみてください。

追加に成功したら、ブラウザで以下のURLを開いて、商品一覧を表示してみてください。

 http://localhost/php/chapter6/all4.php

今度はダイアログが出現しないはずです。もしダイアログが出現する場合には、phpMyAdmin
でproductテーブルを表示し、商品名に<script>を含む行を削除してから、もう一度試してみてく
ださい。

 解　説

 入力値の確認

このPHPスクリプトでは、ユーザーが入力した値がデータベースに登録するうえで適切な値か
どうかを確認します。まず、商品名が空かどうかを調べます。

```
if (empty($_REQUEST['name'])) {
```

empty関数は引数として指定された値（上記の場合は商品名を表す$_REQUEST['name']）が空
のときにTRUEを返します。ここではif文を利用して、空のときは商品名を入力するように促し、
データベースには登録しないことにします。

書式　empty

```
empty(値)
```

覚えておこう！

empty関数は、値が空のときにTRUEを返します。

次に、価格が整数かどうかを調べます。

```
if (!preg_match('/^[0-9]+$/', $_REQUEST['price'])) {
```

preg_matchは正規表現によるパターンマッチを行う関数です（p.151）。第1引数の正規表現
に、第2引数に指定した値が該当するかどうかを調べます。該当する場合にはTRUEを返します。

ここでは該当しないとき、価格を整数で入力するように促して、データベースには登録しないことにします。なお、preg_matchの前の「！」は条件を反転します（p.178）。

```
preg_match(パターン, 入力文字列)
```

　ここで正規表現は、/^[0-9]+$/となっています。^は行頭、$は行末です。[0-9]は、0から9までの数字1文字を表します。+は、直前の文字が1個以上並ぶことを表します。したがって[0-9]+は、数字が1個以上並んだパターンを表します。ここでは第2引数に$_REQUEST['price']を指定し、入力された価格が整数（数字の並び）かどうかを調べています。

覚えておこう！

preg_matchはパターンに入力文字列がマッチするときにTRUEを返します。

SQLインジェクション

　データベースに対して不適切なデータを追加することを防止する話に関連して、SQLインジェクションについて触れておきます。SQLインジェクションとは、開発者が意図しないSQLスクリプトを実行させることにより、データベースを不正に操作することです。
　SQLインジェクションは、スクリプトに適切なセキュリティ対策を施すことによって防止することができます。注意すべきなのは、ユーザーが入力した情報をSQL文に含める場合です。例えば以下の例では、ユーザーが入力した商品名をSQLスクリプトに含めています。

```
select * from product where name like ?
```

また以下の例では、ユーザーが入力した商品名や価格を、SQL文に含めています。

```
insert into product values(null, ?, ?)
```

　このようにユーザーの入力情報をSQL文に含めるときには、単純に文字列として結合してはいけません。ユーザーの入力情報に悪意のあるSQL文が含まれていると、データベースの不正な操作を許してしまう可能性があります。
　PDOを使用する場合には、prepareメソッドとexecuteメソッドを使用することが、SQLインジェクションの防止になります。SQL文に値を埋め込む際には、文字列を結合してSQL文を作成するのではなく、これらのメソッドを使用してください。

6-6

データベース上の
商品データを更新する

データの更新

データベース上に登録されている商品データの、商品名や価格を変更する機能を作ってみましょう。最初に商品データの一覧を取得して、登録されている商品名や価格を表示します。一覧表上でユーザーが商品名や価格を変更し、［更新］ボタンを選択すると、データベース上のデータが更新されるようにします。

	商品番号	商品名	価格	
PHP	1	お買い得松の実	600	更新
	2	くるみ	270	更新
PHP	3	ひまわりの種	210	更新
	4	アーモンド	220	更新
PHP	5	カシューナッツ	250	更新
	6	ジャイアントコーン	180	更新
PHP	7	ピスタチオ	310	更新
	8	マカダミアナッツ	600	更新
PHP	9	かぼちゃの種	180	更新
	10	ピーナッツ	150	更新
PHP	11	クコの実	400	更新

⬇

PHP	更新に成功しました。

一覧上でデータを変更したら、［更新］ボタンでデータを更新します。

商品を更新するSQL文

まずはphpMyAdminを使って商品を更新してみます。ここまでと同様に、phpMyAdminの左側に表示されているデータベースの一覧から［shop］を指定し、上側にあるタブから［SQL］を選択しておきます（p.200）。

SQLの入力欄に、以下のSQL文を入力します。ファイルはchapter6¥update.sqlです。入力できたら、入力欄の右下にある［実行］ボタンを選択して、SQLを実行します。

update.sql

```sql
update product set name='高級松の実', price=900 where id=1;
```

正しくSQL文を入力して実行すると、1行目のデータ（idが1の行）が更新されます。更新前のデータは、nameが「松の実」、priceが「700」です。

Fig　更新前のテーブル

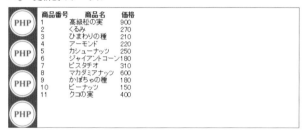

更新後は、1行目のnameが「高級松の実」、priceが「900」に変化します。

Fig　更新後のテーブル

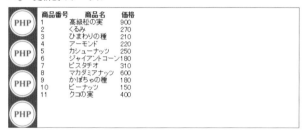

以下のSQL文を入力して実行すると、データが元に戻ります。

```
update product set name='松の実', price=700 where id=1;
```

商品名だけ、あるいは価格だけを更新することもできます。例えば価格だけを「800」に変更するならば、以下のSQL文を入力して実行します。

```
update product set price=800 where id=1;
```

解　説

SQLのupdate文

update文を使うと、指定したテーブルの指定した行に関して、指定した列の値を更新することができます。例えばproductテーブルのデータを更新するならば、次のように記述します。

```
update product
```

name列の値を「高級松の実」にするならば、次のように記述します。

```
update product set name='高級松の実'
```

同時にpriceを「900」にするならば、「,」で区切って次のように記述します。

```
update product set name='高級松の実', price=900
```

書式 update

```
update テーブル名 set 列名1=値1, 列名2=値2, …
```

更新する行を指定するには、次のようにwhere句を記述します。この場合はidが1の行だけを更新します。

```
update product set name='高級松の実', price=900 where id=1
```

書式 update（行の指定）

```
update テーブル名 set 列名1=値1, 列名2=値2, … where 条件
```

覚えておこう！

データの更新はupdate文で列名と値を指定して行います。

商品データを更新する（入力画面）

次はPHPスクリプトからデータベース上の商品データを更新する機能を実現しましょう。最初に商品一覧を表示し、商品名と価格を変更するためのフォームを用意します。以下のようなスクリプトを記述します。ファイルはchapter6¥update-input.phpです。

このスクリプトは、6-3のStep5（p.210）で作成した、商品一覧を表示するスクリプト（chapter6¥all4.php）と構造が似ています。異なる部分を赤字で示しました。HTMLの表（テーブル）には、複数列にまたがるフォームを配置することができないので、ここでは別の方法で表のようなレイアウトを作りました。改行を表す
タグ、区分を表す<div>タグ、そしてスタイルファイルを使います。本書のサンプルデータ（p.15）からchapter6¥style.cssを入手し、スクリプトと同じフォル

ダに保存しておいてください。

List update-input.php

```php
<?php require '../header.php'; ?>
<div class="th0">商品番号</div>
<div class="th1">商品名</div>
<div class="th1">価格</div>
<?php
$pdo=new PDO('mysql:host=localhost;dbname=shop;charset=utf8',
             'staff', 'password');
foreach ($pdo->query('select * from product') as $row) {
    echo '<form action="update-output.php" method="post">';
    echo '<input type="hidden" name="id" value="', $row['id'], '">';
    echo '<div class="td0">', $row['id'], '</div> ';
    echo '<div class="td1">';
    echo '<input type="text" name="name" value="', $row['name'], '">';
    echo '</div>';
    echo '<div class="td1">';
    echo '<input type="text" name="price" value="', $row['price'], '">';
    echo '</div>';
    echo '<div class="td2"><input type="submit" value="更新"></div>';
    echo '</form>';
    echo "\n";
}
?>
<?php require '../footer.php'; ?>
```

スクリプトを実行するには、ブラウザで以下のURLを開きます。

実行 http://localhost/php/chapter6/update-input.php

正しく実行できた場合には、商品の一覧が表示されます。一覧の各行には、商品名と価格の入力欄と、現在登録されている値が表示されます。各行の右端には、[更新] ボタンが表示されます。

Fig 商品更新の入力画面

商品番号	商品名	価格	
1	松の実	700	更新
2	くるみ	270	更新
3	ひまわりの種	210	更新
4	アーモンド	220	更新
5	カシューナッツ	250	更新
6	ジャイアントコーン	180	更新
7	ピスタチオ	310	更新
8	マカダミアナッツ	600	更新
9	かぼちゃの種	180	更新
10	ピーナッツ	150	更新
11	クコの実	400	更新

解 説

入力画面の作成

　このPHPスクリプトでは、HTMLの<form>タグと<input>タグを使って、商品名と価格の入力画面を作成します。次のStepで解説する更新処理用のPHPスクリプトに渡すリクエストパラメータ名（name属性の値）は、商品名がname、価格がprice、商品番号がidです。商品名と価格はユーザーが変更することができますが、商品番号は変更できません。

　商品名については、例えば次のような<input>タグを出力します。これは商品名の入力欄で、既に「松の実」が表示されています。

```
<input type="text" name="name" value="松の実">
```

　このタグを出力するのは、以下のスクリプトです。データベースから取得した商品名を、value属性に設定します。

```
echo '<input type="text" name="name" value="', $row['name'], '">';
```

type属性をhiddenにする

　商品番号については、例えば次のような<input>タグを出力します。これはtype属性がhiddenなので、画面には表示されません。

```
<input type="hidden" name="id" value="1">
```

　このタグを出力するのは、以下のスクリプトです。

```
echo '<input type="hidden" name="id" value="', $row['id'], '">';
```

　フォームに商品番号を含めるのは、商品を更新する際に、商品番号の情報が必要だからです。しかし、ユーザーに商品番号を変更することは許可したくありません。そこで、type属性をhiddenにすることによって、フォームに商品番号を含めつつも編集できないようにしています。

商品データを更新する（出力用スクリプト）

フォームで入力した商品名と価格を使って、商品データを更新するPHPスクリプトを作成しましょう。次のようなスクリプトを記述します。ファイルはchapter6¥update-output.phpです。

このスクリプトは、6-5のStep4（p.232）で作成した、商品を追加するスクリプト（chapter6¥insert-output2.php）によく似ています。異なる部分を赤字で示しました。

List update-output.php

```php
<?php require '../header.php'; ?>
<?php
$pdo=new PDO('mysql:host=localhost;dbname=shop;charset=utf8',
             'staff', 'password');
$sql=$pdo->prepare('update product set name=?, price=? where id=?');
if (empty($_REQUEST['name'])) {
    echo '商品名を入力してください。';
} else
if (!preg_match('/^[0-9]+$/', $_REQUEST['price'])) {
    echo '価格を整数で入力してください。';
} else
if ($sql->execute(
    [htmlspecialchars($_REQUEST['name']), $_REQUEST['price'],
                      $_REQUEST['id']]
)) {
    echo '更新に成功しました。';
} else {
    echo '更新に失敗しました。';
}
?>
<?php require '../footer.php'; ?>
```

スクリプトを実行してみましょう。Step2で作成した入力画面で、商品名と価格を変更し、［更新］ボタンを選択してください。例えば、1行目の商品名に「お買い得松の実」、価格に「600」を指定します。

Fig　商品名と価格を指定する

商品番号	商品名	価格	
1	お買い得松の実	600	更新
2	くるみ	270	更新
3	ひまわりの種	210	更新
4	アーモンド	220	更新
5	カシューナッツ	250	更新
6	ジャイアントコーン	180	更新
7	ピスタチオ	310	更新
8	マカダミアナッツ	600	更新
9	かぼちゃの種	180	更新
10	ピーナッツ	150	更新
11	クコの実	400	更新

　［更新］ボタンを選択すると、「更新に成功しました。」と表示されます。

Fig　更新に成功したところ

更新に成功しました。

　phpMyAdminや、6-3（p.210）の商品一覧を表示するスクリプトを使って、テーブルを確認してみてください（http://localhost/php/chapter6/all4.php）。1行目の商品名が「お買い得松の実」、価格が「600」に更新されているはずです。

Fig　行が更新されたテーブル

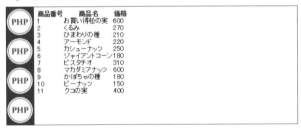

商品番号	商品名	価格
1	お買い得松の実	600
2	くるみ	270
3	ひまわりの種	210
4	アーモンド	220
5	カシューナッツ	250
6	ジャイアントコーン	180
7	ピスタチオ	310
8	マカダミアナッツ	600
9	かぼちゃの種	180
10	ピーナッツ	150
11	クコの実	400

解　説

 PHPからのupdate文の実行

PHPスクリプトから実行するupdate文は以下です。値を設定したい部分は「？」にしておきます。

```
update product set name=?, price=? where id=?
```

update文を実行するには、6-5におけるinsert文の場合と同じように、prepareメソッド（p.219）を用います。prepareメソッドに対して、update文を記述した文字列を渡します。

```
$pdo->prepare('update product set name=?, price=? where id=?')
```

prepareメソッドはPDOStatementインスタンスを返すので、変数に代入しておきます。今までと同様に、変数名は`$sql`としました。

```
$sql=$pdo->prepare('update product set name=?, price=? where id=?');
```

?の部分に設定したいのは、以下の商品名と価格、そして商品番号です。商品名については6-5のStep4（p.232）と同様に、htmlspecialchars関数を用いて、HTMLで特別な働きを持つ文字を無効にします。

- ▶ **商品名** ：htmlspecialchars($_REQUEST['name'])
- ▶ **価格** ：$_REQUEST['price']
- ▶ **商品番号**：$_REQUEST['id']

これらを配列にするために、「,」で区切って、全体を [ ] で囲みます。

```
[htmlspecialchars($_REQUEST['name']), $_REQUEST['price'],
                    $_REQUEST['id']]
```

この配列をexecuteメソッド（p.220）に渡してSQLスクリプトを実行します。executeメソッドは、引き渡したSQLスクリプトが正しく実行されるとTRUE、失敗するとFALSEを返します。次のようにif文を使って、成功か失敗かを判定します。

```
if ($sql->execute(
    [htmlspecialchars($_REQUEST['name']), $_REQUEST['price'],
                    $_REQUEST['id']]
)) {
```

TRUEの場合にはif以下を実行し、更新に成功したことを表示します。FALSEの場合にはelse以下を実行し、更新に失敗したことを表示します。

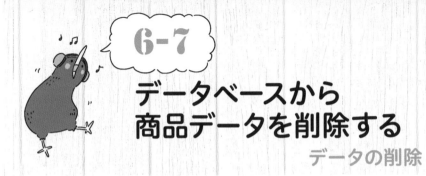

データベースから
商品データを削除する

データの削除

データベースに登録されている商品データを削除する機能を作ってみましょう。まず、商品の一覧を表示します。ユーザーが商品の横に表示された[削除]リンクを選択すると、データベース上の該当するデータが削除されるようにします。

▼ ここでやること

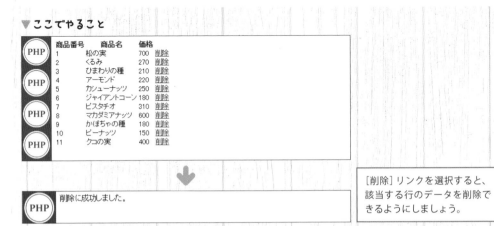

	商品番号	商品名	価格	
PHP	1	松の実	700	削除
	2	くるみ	270	削除
	3	ひまわりの種	210	削除
PHP	4	アーモンド	220	削除
	5	カシューナッツ	250	削除
	6	ジャイアントコーン	180	削除
PHP	7	ピスタチオ	310	削除
	8	マカダミアナッツ	600	削除
	9	かぼちゃの種	180	削除
PHP	10	ピーナッツ	150	削除
	11	クコの実	400	削除

PHP	削除に成功しました。

[削除]リンクを選択すると、該当する行のデータを削除できるようにしましょう。

step 1　商品データを削除するSQL文

まずはphpMyAdminを使って、データベース上の商品データを削除してみます。ここまでと同様に、phpMyAdminの左側に表示されているデータベースの一覧から[shop]を指定し、上側にあるタブから[SQL]タブを選択しておきます（p.200）。

SQLの入力欄に、以下のSQL文を入力します。ファイルはchapter6¥delete.sqlです。入力できたら、入力欄の右下にある[実行]ボタンを選択して、SQLを実行します。

List　delete.sql　SQL

```sql
delete from product where id=1;
```

SQLを実行する前は、1行目（idが1の行）に「松の実」が登録されています。

Fig　削除前のテーブル

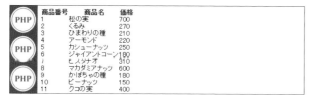

商品番号	商品名	価格
1	松の実	700
2	くるみ	270
3	ひまわりの種	210
4	アーモンド	220
5	カシューナッツ	250
6	ジャイアントコーン	180
7	ピスタチオ	310
8	マカダミアナッツ	600
9	かぼちゃの種	180
10	ピーナッツ	150
11	クコの実	400

　正しくSQL文を入力して実行すると、1行目の「松の実」が削除されます。他の商品は変更されないため、商品番号1は欠番となり、番号が詰められることはありません。

Fig　削除後のテーブル

商品番号	商品名	価格
2	くるみ	270
3	ひまわりの種	210
4	アーモンド	220
5	カシューナッツ	250
6	ジャイアントコーン	180
7	ピスタチオ	310
8	マカダミアナッツ	600
9	かぼちゃの種	180
10	ピーナッツ	150
11	クコの実	400

　データを元に戻すには、6-2のStep2（p.190）で解説した、データベース作成用のSQLスクリプトを実行してください。

解　説

SQLのdelete文

　delete文を使うと、指定したテーブルの指定した行を削除することができます。例えばproductテーブルのデータ全体を削除するならば、次のように記述します。

```
delete from product
```

書式　delete（全体を削除）

```
delete from テーブル名
```

　削除する行を指定するには、次のようにwhere句を記述します。この場合はidが「1」の行を削除します。

```
delete from product where id=1
```

```
delete from テーブル名 where 条件
```

覚えておこう！

データの削除はdelete文で行います。削除する行を指定することもできます。

商品データを削除する（入力画面）

step
②

　次はPHPスクリプトから商品データを削除する機能を実現しましょう。最初に商品一覧を表示し、商品名の横に［削除］リンクを用意します。このリンクを選択することで、該当する行のデータが削除されます。以下のようなスクリプトを記述します。ファイルはchapter6¥delete-input.phpです。

　このスクリプトは、6-3のStep5（p.210）で作成した、商品一覧を表示するスクリプト（chapter6¥all4.php）によく似ています。異なる部分を赤字で示しました。

List delete-input.php　　　　　　　　　　　　　　　　　　　　　　　　　　　PHP

```php
<?php require '../header.php'; ?>
<table>
<tr><th>商品番号</th><th>商品名</th><th>価格</th><th></th></tr>
<?php
$pdo=new PDO('mysql:host=localhost;dbname=shop;charset=utf8',
            'staff', 'password');
foreach ($pdo->query('select * from product') as $row) {
    echo '<tr>';
    echo '<td>',$row['id'],'</td>';
    echo '<td>',$row['name'],'</td>';
    echo '<td>',$row['price'],'</td>';
    echo '<td>';
    echo '<a href="delete-output.php?id=', $row['id'], '">削除</a>';
    echo '</td>';
    echo '</tr>';
    echo "¥n";
```

```
}
?>
</table>
<?php require '../footer.php'; ?>
```

スクリプトを実行するには、ブラウザで以下のURLを開きます。

実行 http://localhost/php/chapter6/delete-input.php

正しく実行できた場合には、商品一覧が表示されます。各行の右端には、[削除]リンクが表示されます。

Fig [削除]リンクのある商品一覧

商品番号	商品名	価格	
1	松の実	700	削除
2	くるみ	270	削除
3	ひまわりの種	210	削除
4	アーモンド	220	削除
5	カシューナッツ	250	削除
6	ジャイアントコーン	180	削除
7	ピスタチオ	310	削除
8	マカダミアナッツ	600	削除
9	かぼちゃの種	180	削除
10	ピーナッツ	150	削除
11	クコの実	400	削除

解 説

リクエストパラメータを伴うリンク

[削除]リンクは、HTMLの<a>タグを利用して作成します。削除を実行するPHPスクリプトを「delete-output.php」とすると、[削除]リンクの<a>タグは次のように書けます。

```
<a href="delete-output.php">削除</a>
```

このリンクを選択すると、delete-output.phpが開きます。ここで、delete-output.phpに対して、どの行を削除するのかを示すために、リクエストパラメータで商品番号を渡す必要があります。リンクでリクエストパラメータを渡すには、次のように記述します。

```
<a href="delete-output.php?id=1">削除</a>
```

ここではidというリクエストパラメータ名で「1」という値を渡しています。このように、リンク

先のファイル名の後に?を付加し、次の形式で記述することができます。

> **書式** リンクでリクエストパラメータを渡す
>
> リンク先ファイル?リクエストパラメータ名=値

リクエストパラメータが複数ある場合には、次のように&で区切って並べます。

> **書式** リンクでリクエストパラメータを渡す（複数の場合）
>
> リンク先ファイル?リクエストパラメータ名1=値1&リクエストパラメータ名2=値2&・・・

PHPスクリプトでは、［削除］リンクを次のように作成します。$row['id']は、データベースから取得した商品番号です。

```
echo '<a href="delete-output.php?id=', $row['id'], '">削除</a>';
```

Step 3 商品データを削除する（出力用スクリプト）

Step2で指定した商品のデータを削除するPHPスクリプトを作成しましょう。次のようなスクリプトを記述します。ファイルはchapter6¥delete-output.phpです。

このスクリプトは、6-5のStep3（p.230）で作成した、商品データを追加するスクリプト（chapter6¥insert-output.php）によく似ています。異なる部分を赤字で示しました。

List delete-output.php `PHP`

```php
<?php require '../header.php'; ?>
<?php
$pdo=new PDO('mysql:host=localhost;dbname=shop;charset=utf8',
            'staff', 'password');
$sql=$pdo->prepare('delete from product where id=?');
if ($sql->execute([$_REQUEST['id']])) {
    echo '削除に成功しました。';
} else {
    echo '削除に失敗しました。';
}
?>
<?php require '../footer.php'; ?>
```

スクリプトを実行してみましょう。Step2で作成した入力画面で、商品の横にある[削除]リンクを選択してください。例えば、1行目の「松の実」の横にあるリンクを選択すると、「削除に成功しました。」と表示されます。

Fig 削除に成功したところ

phpMyAdminや、6-3（p.210）の商品一覧を表示するスクリプトを使って、テーブルを確認してみてください（http://localhost/php/chapter6/all4.php）。1行目が削除されているはずです。

Fig 行が削除されたテーブル

商品番号	商品名	価格
2	くるみ	270
3	ひまわりの種	210
4	アーモンド	220
5	カシューナッツ	250
6	ジャイアントコーン	180
7	ピスタチオ	310
8	マカダミアナッツ	600
9	かぼちゃの種	180
10	ピーナッツ	150
11	クコの実	400

スクリプトに記述したdelete文に間違いがあると、「削除に失敗しました。」というメッセージが出力されることがあります。失敗のメッセージが出たら、prepareメソッドとexecuteメソッドの行を見直して、間違いを修正してください。

解　説

PHPからのdelete文の実行

PHPスクリプトで実行するdelete文は以下です。値を設定したい部分は「？」にしておきます。

```
delete from product where id=?
```

delete文を実行するには、6-5のinsert文（p.231）や6-6のupdate文（p.244）の場合と同じように、prepareメソッドを用います。prepareメソッドに対して、delete文を記述した文字列を渡します。

```
$pdo->prepare('delete from product where id=?');
```

prepareメソッドはPDOStatementインスタンスを返すので、変数に代入しておくのも同じです。今までと同様に、変数名は$sqlとしました。

```
$sql=$pdo->prepare('delete from product where id=?');
```

?の部分に設定したいのは商品番号です。商品番号はリクエストパラメータのidに入っているので、$_REQUEST['id']で取得できます。配列にするために、[$_REQUEST['id']] のように全体を[ ]で囲みます。

この配列をexecuteメソッドに渡して、SQL文を実行します。executeメソッドは、SQLの実行に成功するとTRUE、失敗するとFALSEを返します。次のようにif文を使って、成功か失敗かを判定します。

```
if ($sql->execute([$_REQUEST['id']])) {
```

📢絞り込み検索

多くのショッピングサイトでは、キーワードの部分一致による検索に加えて、商品の価格やジャンルなどで検索結果を絞り込む機能が提供されています。このような絞り込みは、SQL文のwhere句に条件を追加することによって、実現することができます。

例えば次のSQL文を使うと、価格が200円未満の商品を検索することができます。phpMyAdminで実行してみてください。ジャイアントコーン、かぼちゃの種、ピーナッツが表示されます。

```
select * from product where price<200;
```

商品名にナッツを含み、かつ200円未満の商品を検索するには、次のSQL文を使います。and演算子（p.226）を用いて、複数の条件が同時に成立したかどうか調べます。実行すると、ピーナッツだけが表示されます。

```
select * from product where name like '%ナッツ%' and price<200;
```

Chapter6では、データベースに対するデータの検索、追加、更新、削除といった処理の行い方と、これらをPHPのスクリプトから行う方法を学びました。最後に、これらの操作をまとめたスクリプトを作ってみましょう。

▼ここでやること

	商品番号	商品名	価格		
PHP	1	松の実	700	更新	削除
	2	くるみ	270	更新	削除
PHP	3	ひまわりの種	210	更新	削除
	4	アーモンド	220	更新	削除
PHP	5	カシューナッツ	250	更新	削除
	6	ジャイアントコーン	180	更新	削除
PHP	7	ピスタチオ	310	更新	削除
	8	マカダミアナッツ	600	更新	削除
PHP	9	かぼちゃの種	180	更新	削除
	10	ピーナッツ	150	更新	削除
PHP	11	クコの実	400	更新	削除
	12	チョコピーナッツ	260	更新	削除
PHP					追加

ここまでに学習してきたことをまとめて、1つのフォームから行えるようにしましょう。

Step 1 追加用のフォームを作成する

まずは商品を追加するためのフォームを作成しましょう。次のようなスクリプトを記述します。

ファイルは**chapter6¥edit.php**です。処理の内容は6-5のStep2（追加、p.229）に似ています。

edit.php

```php
<?php require '../header.php'; ?>
<div class="th0">商品番号</div>
<div class="th1">商品名</div>
<div class="th1">価格</div><br>
<form action="edit3.php" method="post">
<input type="hidden" name="command" value="insert">
<div class="td0"></div>
<div class="td1"><input type="text" name="name"></div>
<div class="td1"><input type="text" name="price"></div>
<div class="td2"><input type="submit" value="追加"></div>
</form><br>
<?php require '../footer.php'; ?>
```

スクリプトを実行するには、ブラウザで以下のURLを開きます。

 http://localhost/php/chapter6/edit.php

正しく実行できた場合には、商品名と価格の入力欄、そして [追加] ボタンが表示されます。

Fig　追加用のフォーム

商品番号	商品名	価格	

解　説

 リクエストパラメータを用いた機能の振り分け

6-8では、追加・更新・削除といった機能を、最終的に単一のスクリプトで提供します。そのため、どの機能を実行するのかを、リクエストパラメータを用いて振り分けます。

次のように、commandというリクエストパラメータを使って、実行する機能を表す文字列を渡します。追加機能の場合には、insertという文字列を渡します。

```
<input type="hidden" name="command" value="insert">
```

この<input>タグはtype属性がhiddenなので、ブラウザの画面には表示されず、ユーザーには見えません。しかしリクエストパラメータとして渡されるので、リクエストパラメータを受け取ったスクリプトにおいて、機能を振り分けるために利用できます。

Step 2 更新用と削除用のフォームを作成する

次は商品を更新または削除するためのフォームを作成しましょう。以下のようなスクリプトを記述します。ファイルはchapter6¥edit2.phpです。Step1に対する追加部分を赤字で示しました。処理の内容は6-6のStep2 (更新、p.240) と、6-7のStep2 (削除、p.248) に似ています。

edit2.php

PHP

```php
<?php require '../header.php'; ?>
<div class="th0">商品番号</div>
<div class="th1">商品名</div>
<div class="th1">価格</div><br>
<?php
$pdo=new PDO('mysql:host=localhost;dbname=shop;charset=utf8',
            'staff', 'password');
foreach ($pdo->query('select * from product') as $row) {
    echo '<form class="ib" action="edit3.php" method="post">';
    echo '<input type="hidden" name="command" value="update">';
    echo '<input type="hidden" name="id" value="', $row['id'], '">';
    echo '<div class="td0">';
    echo $row['id'];
    echo '</div>';
    echo '<div class="td1">';
    echo '<input type="text" name="name" value="', $row['name'], '">';
    echo '</div>';
    echo '<div class="td1">';
    echo '<input type="text" name="price" value="', $row['price'], '">';
    echo '</div>';
    echo '<div class="td2">';
    echo '<input type="submit" value="更新">';
    echo '</div>';
    echo '</form>';
    echo '<form class="ib" action="edit3.php" method="post">';
    echo '<input type="hidden" name="command" value="delete">';
    echo '<input type="hidden" name="id" value="', $row['id'], '">';
    echo '<input type="submit" value="削除">';
    echo '</form><br>';
    echo "\n";
}
?>
<form action="edit3.php" method="post">
<input type="hidden" name="command" value="insert">
<div class="td0"></div>
<div class="td1"><input type="text" name="name"></div>
<div class="td1"><input type="text" name="price"></div>
<div class="td2"><input type="submit" value="追加"></div>
</form>
<?php require '../footer.php'; ?>
```

6

6-8
▼
データベース操作のまとめ

まとめ

スクリプトを実行するには、ブラウザで以下のURLを開きます。

実行 http://localhost/php/chapter6/edit2.php

正しく実行できた場合には、商品一覧が表示されます。商品名と価格の入力欄、そして［更新］ボタンと［削除］ボタンが表示されます。

Fig 更新用と削除用のフォーム

 解 説

削除ボタンの実現

6-7では［削除］リンクを使って削除機能を実現しました。今度は［削除］ボタンを使っています。

削除ボタンを作成するには、<form>タグを用いてフォームを配置し、<input>タグでtype属性をsubmitにします。［削除］ボタンのタグは次のように記述します。

```
<input type="submit" value="削除">
```

削除する行を指定するために、商品番号をリクエストパラメータとして渡す必要があります。そのため、フォームに次のような<input>タグを配置します。以下はidというリクエストパラメータ名で、「1」という値を渡す例です。type属性をhiddenにしているので、ユーザーからは操作できません。

```
<input type="hidden" name="id" value="1">
```

この<input>タグは、次のようなスクリプトで生成します。$row['id']は、データベースから取得した商品番号です。

```
echo '<input type="hidden" name="id" value="', $row['id'], '">';
```

追加・更新・削除を実行する

最後に、追加・更新・削除を実行する処理を作成しましょう。次のようなスクリプトを記述します。ファイルはchapter6¥edit3.phpです。Step2に対する追加部分を赤字で示しました。処理の内容は6-5のStep4（追加、p.232）、6-6のStep3（更新、p.243）、6-7のStep3（削除、p.250）に似ています。

List edit3.php

```php
<?php require '../header.php'; ?>
<div class="th0">商品番号</div>
<div class="th1">商品名</div>
<div class="th1">価格</div><br>
<?php
$pdo=new PDO('mysql:host=localhost;dbname=shop;charset=utf8',
             'staff', 'password');
if (isset($_REQUEST['command'])) {
    switch ($_REQUEST['command']) {
    case 'insert':
        if (empty($_REQUEST['name']) ||
            !preg_match('/^[0-9]+$/', $_REQUEST['price'])) break;
        $sql=$pdo->prepare('insert into product values(null,?,?)');
        $sql->execute(
            [htmlspecialchars($_REQUEST['name']), $_REQUEST['price']]);
        break;
    case 'update':
        if (empty($_REQUEST['name']) ||
            !preg_match('/^[0-9]+$/', $_REQUEST['price'])) break;
        $sql=$pdo->prepare(
            'update product set name=?, price=? where id=?');
        $sql->execute(
            [htmlspecialchars($_REQUEST['name']), $_REQUEST['price'],
            $_REQUEST['id']]);
        break;
    case 'delete':
        $sql=$pdo->prepare('delete from product where id=?');
        $sql->execute([$_REQUEST['id']]);
        break;
    }
}
foreach ($pdo->query('select * from product') as $row) {
    echo '<form class="ib" action="edit3.php" method="post">';
```

6

6-8
▼
データベース操作のまとめ

まとめ

```
        echo '<input type="hidden" name="command" value="update">';
        echo '<input type="hidden" name="id" value="', $row['id'], '">';
        echo '<div class="td0">';
        echo $row['id'];
        echo '</div>';
        echo '<div class="td1">';
        echo '<input type="text" name="name" value="', $row['name'], '">';
        echo '</div>';
        echo '<div class="td1">';
        echo '<input type="text" name="price" value="', $row['price'], '">';
        echo '</div>';
        echo '<div class="td2">';
        echo '<input type="submit" value="更新">';
        echo '</div>';
        echo '</form>';
        echo '<form class="ib" action="edit3.php" method="post">';
        echo '<input type="hidden" name="command" value="delete">';
        echo '<input type="hidden" name="id" value="', $row['id'], '">';
        echo '<input type="submit" value="削除">';
        echo '</form><br>';
        echo "\n";
    }
?>
<form action="edit3.php" method="post">
<input type="hidden" name="command" value="insert">
<div class="td0"></div>
<div class="td1"><input type="text" name="name"></div>
<div class="td1"><input type="text" name="price"></div>
<div class="td2"><input type="submit" value="追加"></div>
</form>
<?php require '../footer.php'; ?>
```

スクリプトを実行するには、以下のURLを開きます。

実行 http://localhost/php/chapter6/edit3.php

正しく実行できた場合には、Step2と同様に、商品一覧が表示されます。商品名と価格の入力欄、そして［更新］ボタンと［削除］ボタンが表示されます。

 商品データの追加

　商品データを追加するには、画面下方にある追加用の入力欄に商品名と価格を入力して、［追加］ボタンを選択してください。例えば、商品名に「チョコピーナッツ」、価格に「260」と入力します。

Fig　追加用フォームへの入力

商品番号	商品名	価格		
1	松の実	700	更新	削除
2	くるみ	270	更新	削除
3	ひまわりの種	210	更新	削除
4	アーモンド	220	更新	削除
5	カシューナッツ	250	更新	削除
6	ジャイアントコーン	180	更新	削除
7	ピスタチオ	310	更新	削除
8	マカダミアナッツ	600	更新	削除
9	かぼちゃの種	180	更新	削除
10	ピーナッツ	150	更新	削除
11	クコの実	400	更新	削除
	チョコピーナッツ	260	追加	

　［追加］ボタンを選択すると、商品データが追加されます。商品一覧の末尾に、新しく追加した商品データが表示されます。

Fig　追加の実行

商品番号	商品名	価格		
1	松の実	700	更新	削除
2	くるみ	270	更新	削除
3	ひまわりの種	210	更新	削除
4	アーモンド	220	更新	削除
5	カシューナッツ	250	更新	削除
6	ジャイアントコーン	180	更新	削除
7	ピスタチオ	310	更新	削除
8	マカダミアナッツ	600	更新	削除
9	かぼちゃの種	180	更新	削除
10	ピーナッツ	150	更新	削除
11	クコの実	400	更新	削除
12	チョコピーナッツ	260	更新	削除
			追加	

 商品データの更新

　商品データを更新するには、商品一覧にある更新用の入力欄で、商品名や価格を変更して、［更新］ボタンを選択してください。例えば、「チョコピーナッツ」の商品名を「ビターチョコピーナッツ」、価格を「280」に変更します。

Fig　更新用フォームへの入力

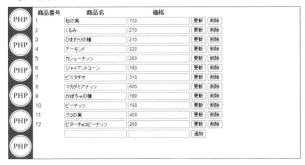

　[更新]ボタンを選択すると、商品データが更新されます。商品一覧に、変更後の商品データが表示されます。

Fig　更新の実行

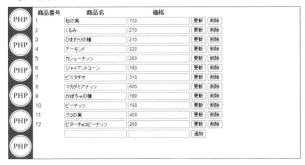

 ## 商品データの削除

　商品データを削除するには、商品の右端にある[削除]ボタンを選択してください。例えば「ビターチョコピーナッツ」の[削除]ボタン❶を選択します。

Fig　[削除]ボタン

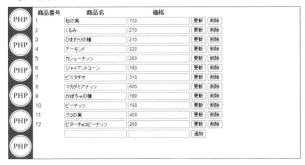

[削除]ボタンを選択すると、商品データが削除されます。商品一覧から、削除した商品が消えているはずです。

Fig　削除の実行

	商品番号	商品名	価格		
PHP	1	松の実	700	更新	削除
	2	くるみ	270	更新	削除
PHP	3	ひまわりの種	210	更新	削除
	4	アーモンド	220	更新	削除
PHP	5	カシューナッツ	250	更新	削除
	6	ジャイアントコーン	180	更新	削除
	7	ピスタチオ	310	更新	削除
PHP	8	マカダミアナッツ	600	更新	削除
	9	かぼちゃの種	180	更新	削除
PHP	10	ピーナッツ	150	更新	削除
	11	クコの実	400	更新	削除
					追加

機能の振り分け

このPHPスクリプトでは、commandというリクエストパラメータから受け取った文字列に応じて、追加・更新・削除のいずれかを実行します。

最初に、commandというリクエストパラメータが設定されているかどうかを調べます。isset関数（p.94）は、引数に指定した変数が定義されている（かつ値がNULLではない）場合はTRUE、変数が定義されていない（または値がNULLである）場合はFALSEを返します。ここでは変数に$_REQUEST['command']を指定します。

```
if (isset($_REQUEST['command'])) {
```

もしcommandが設定されていない場合には、いずれの機能も実行しません。最初にこのスクリプトを開いたときは、commandが設定されていないので、この場合に相当します。

commandが設定されているときには、switch文（p.102）を用いて、各機能の処理に分岐します。

```
switch ($_REQUEST['command']) {
```

例えばcommandがinsertの場合には、追加の処理を行います。

```
case 'insert':
```

同様に、updateの場合には更新の処理、deleteの場合には削除の処理を行います。各処理の内容は今までと同様に、prepareメソッド（p.219）でSQL文を用意し、executeメソッド（p.220）で実行します。

🔊 検索結果の並べ替え

多くのショッピングサイトでは、検索結果を価格が安い順などに並べ替えることができます。並べ替えは、SQL文のorder by句を使って実現することができます。

例えば次のSQL文を使うと、全商品を価格が安い順に並べ替えて表示することができます。phpMyAdminで実行してみてください。ピーナッツ150円、ジャイアントコーン180円、かぼちゃの種180円...の順で表示されます。

```
select * from product order by price;
```

価格が高い順にするには、列名の後にdescと書きます。次のSQL文を実行すると、松の実700円、マカダミアナッツ600円、クコの実400円...の順で表示されます。

```
select * from product order by price desc;
```

検索結果を並べ替える場合には、where句と組み合わせます。次のSQL文を実行すると、商品名にナッツを含む商品を、価格が安い順に表示します。結果はピーナッツ150円、カシューナッツ250円、マカダミアナッツ600円の順です。

```
select * from product where name like '%ナッツ%' order by price;
```

Chapter 6 のまとめ

データベースの基本操作である、生成（Create）、読み取り（Read）、更新（Update）、削除（Delete）の頭文字を取って、CRUD（クラッド）と呼ぶことがあります。これらはSQLにおいては、insert文、select文、update文、delete文に対応します。Chapter6ではこれらをPHPスクリプトから実行する方法について学びました。Chapter6の学習を通じて、データベースの操作が一通りできるようになったことになります。

次のChapter7では、学んだデータベースの操作方法を活用して、ショッピングサイトを構築してみましょう。

Chapter 7

実用的なスクリプト

本章では本格的なWebアプリケーションの開発に役立つ、実用的なPHPスクリプトを紹介します。ショッピングサイトを題材に、ログイン機能やカート機能といった、実際のサイトの構築にそのまま利用できる処理を作っていきましょう。

7-1

商品や顧客などの情報を格納するデータベース

最初に、本章のスクリプトから利用するデータベースを作成しましょう。サーバサイドにショッピングサイトの商品や顧客などのデータを格納する、店舗データベースです。

SQLスクリプトでデータベースを作成する

phpMyAdminからSQLスクリプトを実行して、ショッピングサイトで利用するデータベースを作成しましょう。本章で紹介するサンプルは、この店舗データベースを利用していきます。

Chapter6-2（p.188）と同様に、MySQLを起動し、phpMyAdminからSQLスクリプトを実行します。ここで実行するSQLスクリプトは、サンプルデータの**chapter7¥shop.sql**です。サンプルデータは、本書のダウンロードページ（p.15）から入手してください。shop.sqlは行数の多いスクリプトですので、テキストエディタで開き、全選択したうえでコピーして、入力欄に貼り付けるのがおすすめです。

Fig phpMyAdminでデータベースを作成する

SQLの入力欄にスクリプトを入力する

[実行] ボタンを選択してデータベースを作成する

SQLスクリプトを実行すると、画面には緑色のチェックマークが付いた数多くのメッセージが表示されます。Note（注釈）やError（エラー）も表示されますが、ここでは先に進んでください。

Fig　SQLスクリプトが実行された状態

　画面の左側に表示されるデータベースやテーブルの一覧のなかから、[shop]❶を選択してください。あるいは、[データベース]❷を選択した後に、データベースの一覧から[shop]を選択します。customerやfavoriteといったテーブルの一覧が表示されれば成功です。

Fig　テーブルの一覧

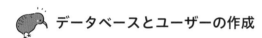

データベースとユーザーの作成

　データベースを作成するSQLスクリプト（shop.sql）のポイントとなる部分を説明します。なお、スクリプトの全文は、サンプルデータ（chapter7¥shop.sql）を参照してください。

　最初は、データベースとユーザーの作成を行う部分です。各行の処理は次の通りです。処理の詳細は、Chapter6の解説を参照してください。

　`drop database`コマンド（p.195）で、shopデータベースが既に存在する場合は、データベースを削除します。

```
drop database if exists shop;
```

　`create database`コマンド（p.195）で、shopデータベースを新規に作成します。

```
create database shop default character set utf8 collate utf8_general_ci;
```

　`drop user`コマンド（p.195）で、staffユーザーが既に存在する場合は、ユーザーを削除します。

```
drop user if exists 'staff'@'localhost';
```

create userコマンド（p.195）で、staffユーザーを新規に作成します。パスワードは「password」とします。

```
create user 'staff'@'localhost' identified by 'password';
```

grantコマンド（p.196）で、staffユーザーにshopデータベースを操作する権限を与えます。

```
grant all on shop.* to 'staff'@'localhost';
```

useコマンド（p.196）で、作成したshopデータベースに接続します。

```
use shop;
```

 ## テーブルの作成

shopデータベースのなかに、create tableコマンド（p.197）を用いて複数のテーブルを作成します。作成するテーブルは次の通りです。

Table 作成するテーブル

テーブル名	概要	列の構成
product	商品	商品番号、商品名、価格
customer	顧客	顧客番号、顧客名、住所、ログイン名、パスワード
purchase	購入	購入番号、顧客番号
purchase_detail	購入詳細	購入番号、商品番号、個数
favorite	お気に入り	顧客番号、商品番号

テーブル間の関係は次の通りです。各テーブルを構成する列名（英語）と、列の説明（日本語）を示しました。また、異なるテーブルの列と列の間の関係を、線で接続して示しました。

Fig　テーブル間の関係

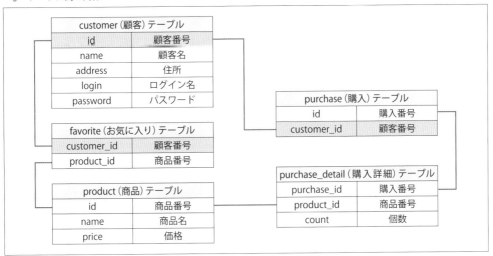

　Chapter6では、データベース内には1つのテーブルしかありませんでした。通常のショッピングサイトでは、この例のように複数のテーブルを連携して利用するのが一般的です。多くの場合は、顧客番号や商品番号などを使って、各テーブルが連携できるようにしています。

🥝 ユニーク制約

　uniqueという記述は、「ユニーク制約」と呼ばれます。ユニーク制約を指定した列は、行ごとに全て異なる値になり、他の行と同じ値を格納することができなくなります。

　例えばcustomerテーブルには、以下の記述があります。

```
login varchar(100) not null unique
```

　これはログイン名を表すlogin列です。最後に記述されたuniqueがユニーク制約です。他の顧客とログイン名が重複することがないように、ユニーク制約を使いました。

🥝 外部キー制約

　foreign keyという記述は、「外部キー制約」と呼ばれます。外部キー制約を指定した列には、外部のテーブルにある指定した列に含まれる値だけが格納できるようになります。

　例えばpurchaseテーブルには、以下の記述があります。

```
foreign key(customer_id) references customer(id)
```

　これは、「purchaseテーブルのcustomer_id列には、customerテーブルのid列に存在する値だ

けが格納できる」という意味です。別の言葉で表現すると、「購入テーブルの顧客番号としては、顧客テーブルに登録された顧客番号だけが指定できる」となります。

🐤 複合主キー

primary keyという記述は、「主キー」と呼ばれます。主キーは、行ごとに異なる値を割り当てます。

複数の列を組み合わせて主キーにしたものは、「複合主キー」と呼ばれます。例えばpurchase_detailテーブルには、以下のような記述があります。purchase_idとproduct_idを組み合わせて、複合主キーとします。

```
primary key(purchase_id, product_id)
```

今回のデータベースでは、purchase_id単独では同一テーブル内に同じ値の行が存在する可能性があるので、主キーにはできません。product_idも同様の理由で、主キーにはできません。

しかしpurchase_idとproduct_idの組み合わせは、同一テーブル内に重複する値の組み合わせが存在しません。そこで、purchase_idとproduct_idを組み合わせて、複合主キーとします。

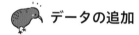 データの追加

insert intoコマンド（p.199）を使って、テーブルにデータを追加していきます。スクリプトでは、product（商品）とcustomer（顧客）テーブルに対してデータを追加しています。その他のテーブルは、この後で紹介する処理の結果としてデータが追加されていきます。

🐤 productテーブル

productテーブルのなかに、商品のデータを追加します。例えば、以下のように記述します。

```
insert into product values(null, '松の実', 700);
```

このSQL文によって、以下のようなデータが追加されます。

Table　productテーブルに追加するデータ

列	値
商品番号	null（自動的に番号が作成される）
商品名	松の実
価格	700

🐑 customerテーブル

customerテーブルのなかに、顧客のデータを追加します。例えば、以下のようなデータを追加します。

```
insert into customer values(null, '熊木 和夫',
    '東京都新宿区西新宿2-8-1', 'kumaki', 'BearTree1');
```

Table customerテーブルに追加するデータ

列	値
顧客番号	null（自動的に番号が作成される）
顧客名	熊木 和夫
住所	東京都新宿区西新宿2-8-1
ログイン名	kumaki
パスワード	BearTree1

7-2

サイトへのログイン・ログアウト処理
ログイン、ログアウト、セッション

ショッピングサイトの多くは、ログイン機能を提供しています。ユーザーがサイトにログインすることで、送り先情報を再利用したり、お気に入りを登録したり、購入履歴を閲覧したりすることができます。このようなログイン機能を実現するには、セッションと呼ばれる仕組みを使います。

▼ ここでやること

	商品　お気に入り　購入履歴　カート　購入　ログイン　ログアウト　会員登録
PHP PHP	ログイン名kumaki パスワード•••••••• [ログイン]

> ログイン名とパスワードを使ったログイン処理を作りましょう。

ログイン画面を表示する

最初に、ログイン名とパスワードの入力を行う画面を作成します。

Fig　ログイン画面

	商品　お気に入り　購入履歴　カート　購入　ログイン　ログアウト　会員登録
PHP PHP	ログイン名 パスワード [ログイン]

List　login-input.php　　　　　　　　　　　　　　　　　　　　　　　PHP

```php
<?php require '../header.php'; ?>
<?php require 'menu.php'; ?>
<form action="login-output.php" method="post">
ログイン名<input type="text" name="login"><br>
パスワード<input type="password" name="password"><br>
<input type="submit" value="ログイン">
</form>
<?php require '../footer.php'; ?>
```

実行の際には、XAMPP（p.26）またはMAMP（p.34）から、ApacheとMySQLを起動（p.188）しておいてください。入力画面のスクリプトのファイルは<u>chapter7¥login-input.php</u>です。このスクリプトを実行するには、後述する<u>menu.php</u>が必要です。本書のサンプルデータ（p.15）から<u>chapter7¥menu.php</u>を入手し、login-input.phpと同じフォルダに保存しておいてください。実行するには、ブラウザで以下のURLを開きます。［ログイン］メニューから実行することもできます。

 http://localhost/php/chapter7/login-input.php

ログイン名とパスワードの入力欄は、いずれも<input>タグを用いて作成しています。ログイン名はtype属性をtextにして、パスワードはtype属性をpasswordにします。パスワードは画面に表示されません。

📢メニュー

Chapter7のサンプルでは、画面の上部にメニューが表示されます。このメニューを使うことにより、Chapter7のスクリプトを連携させて、ひとまとまりのショッピングサイトとして利用できるようにしています。

各スクリプトの先頭で「menu.php」を読み込むことによって、メニューを配置します。読み込みにはrequire文（p.64）を使います。requireは外部のPHPスクリプトを読み込む機能です。Chapter7のスクリプトを実行する際には、同じフォルダ内にmenu.phpも保存するようにしてください。

```
<?php require 'menu.php'; ?>
```

menu.phpでは、各メニュー項目に対してPHPスクリプトを設定しています。例えば、「商品」メニューは以下の通りです。

```
<a href="product.php">商品</a>
```

スクリプトの全文はサンプルデータの<u>chapter7¥menu.php</u>を参照してください。menu.phpには、<a>タグを用いた各スクリプトへのリンクが並んでいます。最後の<hr>は、メニューとスクリプト本体の表示を区切るための水平線です。

ログイン機能を作成する

入力したログイン名とパスワードを使って、ログイン処理を行いましょう。以下のスクリプトを記述します。ファイルは<u>chapter7¥login-output.php</u>です。

List login-output.php

```php
<?php session_start(); ?>
<?php require '../header.php'; ?>
<?php require 'menu.php'; ?>
<?php
unset($_SESSION['customer']);
$pdo=new PDO('mysql:host=localhost;dbname=shop;charset=utf8',
             'staff', 'password');
$sql=$pdo->prepare('select * from customer where login=? and password=?');
$sql->execute([$_REQUEST['login'], $_REQUEST['password']]);
foreach ($sql as $row) {
    $_SESSION['customer']=[
        'id'=>$row['id'], 'name'=>$row['name'],
        'address'=>$row['address'], 'login'=>$row['login'],
        'password'=>$row['password']];
}
if (isset($_SESSION['customer'])) {
    echo 'いらっしゃいませ、', $_SESSION['customer']['name'], 'さん。';
} else {
    echo 'ログイン名またはパスワードが違います。';
}
?>
<?php require '../footer.php'; ?>
```

　スクリプトを実行するには、Step1の入力画面においてログイン名とパスワードを入力し、[ログイン]ボタンを選択します。データベースに登録されているログイン名とパスワードの組み合わせを入力すると、ログインできます。

　例えば、ログイン名「kumaki」、パスワード「BearTree1」を入力すると、顧客名「熊木 和夫」としてログインすることができます。

Fig　ログイン成功

　ログイン名をデータベースに登録されていない「kumaki2」などにすると、ログインに失敗します。

Fig　ログイン失敗

解 説

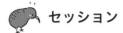
セッション

「セッション」というのは、Webアプリケーションにおいて、各ユーザーに固有のデータを格納するための仕組みです。セッションを使うと、ユーザーごとに異なるデータを管理することができます。ショッピングサイトでは、ログインやカートなどの機能を実現するために、セッションを利用します。

　セッションが動作する仕組みを説明します。まずはセッションを開始する処理です。

Fig　セッションIDとセッションデータの作成

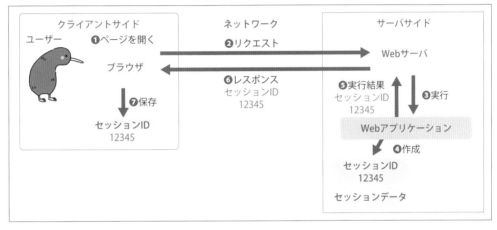

❶ユーザーがサイトのページを開きます。

❷ブラウザがWebサーバにリクエストを送信します。

❸WebサーバがWebアプリケーションを実行します。

❹Webアプリケーションは「セッションID」と「セッションデータ」を作成します。

　セッションIDは、個々のセッションを区別するための識別番号です。セッションごとに異なるセッションIDが割り当てられます。

　セッションデータは、各セッションに属するデータです。PHPでは、配列$_SESSIONを用いて、セッションデータの格納と取得ができます。$_SESSIONはPHPが用意する変数（配列）です（p.80）。

❺Webアプリケーションは、セッションIDをWebサーバに渡します。

❻WebサーバはセッションIDを、レスポンスの一部としてブラウザに送信します。

❼ブラウザは受信したセッションIDを、クライアントサイドに保存します。セッションIDの送信と保存には、「クッキー」と呼ばれる仕組みが使われます。

次は、ユーザーが再びサイトのページを開いたときの処理です。ユーザーがサイトのページを開くと、ブラウザは自動的に、保存してあったセッションIDをWebサーバに送信します。受け取ったセッションIDを使って、Webアプリケーションはセッションデータを取得することができます。

Fig　WebサーバへのセッションIDの送信

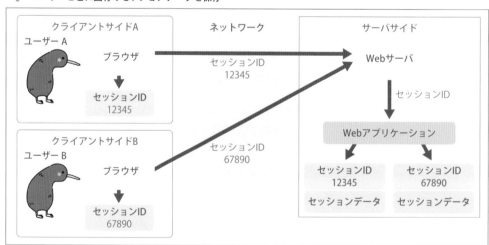

複数のユーザーがWebアプリケーションを利用しているときには、ユーザーごとに異なるセッションIDが割り当てられます。したがって、ユーザーごとに固有のセッションデータを保存しておくことができます。

Fig　ユーザーごとに固有のセッションデータを保存

セッションを利用したログイン機能の実現

セッションを利用してログイン機能を実現するには、例えば次のようにします。

Fig　セッションを利用したログイン機能

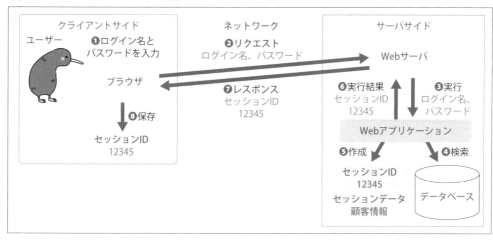

❶最初に、ユーザーがログイン名とパスワードを入力します。

❷ログイン名とパスワードは、リクエストパラメータとしてWebサーバに送信されます。

❸WebサーバはWebアプリケーションを起動し、リクエストパラメータとしてログイン名とパスワードを渡します。

❹Webアプリケーションは、ログイン名とパスワードの組み合わせがデータベースに登録されているかどうかを調べます。

❺登録されていたら、セッションIDとセッションデータを作成します。今回はセッションデータとして、顧客情報（顧客番号、顧客名、住所、ログイン名、パスワード）を格納します。

❻WebアプリケーションはセッションIDをWebサーバに渡します。

❼WebサーバがセッションIDを含むレスポンスをブラウザに送信します。

❽ブラウザはセッションIDを保存します。

再びユーザーがページを開くと、ブラウザはセッションIDをWebサーバに送信します。セッションIDを用いて、Webアプリケーションはセッションデータを取得することができます。

ユーザーがログイン済みかどうかは、セッションデータが取得できたかどうかで調べることができます。取得できたらログイン済み、取得できなかったら未ログインということです。

 ## セッションの開始

　PHPでセッションを使用する場合には、session_start関数を呼び出します。この関数はHTMLなどを出力する前に実行する必要があるので、スクリプトの先頭で呼び出しています。

```
<?php session_start(); ?>
```

　セッションデータは、配列（を代入した変数）$_SESSIONを使って操作します。今回は顧客情報を、配列$_SESSIONのキー 'customer'に格納することにしました。

```
$_SESSION['customer']
```

　今回はログインに先だって、同名のユーザーが既にログインしている場合はログアウトの状態にするために、セッションデータから既に存在する顧客情報を削除します。指定した変数を削除するunset関数を使います。

```
unset($_SESSION['customer']);
```

　配列の要素を指定した場合には、配列全体を削除するのではなく、指定した要素だけを削除します。この例では配列$_SESSIONから、キー 'customer'の要素だけを削除します。

 ## ログイン名とパスワードの判定

　データベースからログイン名とパスワードの組み合わせを検索します。組み合わせが見つかったら、正しいログイン名とパスワードが指定されたということなので、ログインを成功させます。
　PDO（p.203）を使って、shopデータベースに接続します。PDOはPHPとデータベースとの間の接続機能を提供します。

```
$pdo=new PDO('mysql:host=localhost;dbname=shop;charset=utf8',
             'staff', 'password');
```

　ログイン名とパスワードを検索するためのSQL文を準備します。customerテーブルからログイン名とパスワードの組み合わせを検索するには、次のようなselect文を使います。

```
select * from customer where login=ログイン名 and password=パスワード
```

　prepareメソッド（p.219）を用いて、SQL文を準備します。ログイン名とパスワードの部分は?にしておきます。

```
$sql=$pdo->prepare(
    'select * from customer where login=? and password=?');
```

executeメソッド（p.220）を使って、SQL文を実行します。executeメソッドの引数は、SQL文の?の部分に設定する値の配列です。ここでは、リクエストパラメータから取得したログイン名$_REQUEST['login']と、パスワード$_REQUEST['password']を使用します。以下はこれら2つを配列にしたものです。

```
[$_REQUEST['login'], $_REQUEST['password']]
```

この配列をexecuteメソッドに渡します。

```
$sql->execute([$_REQUEST['login'], $_REQUEST['password']]);
```

 ## セッションデータの登録

SQL文をexecuteメソッドで実行した結果を、foreachループを使って処理します（p.222）。

```
foreach ($sql as $row) {
```

ログイン名とパスワードの組み合わせが見つかった場合には、foreachループの内部が実行されます。内部では次の処理を行います。

変数$rowには、データベースから取得した顧客テーブルの行が格納されています。例えば顧客番号（id）は、$row['id']という式で取得することができます。同様に、顧客名（name）、住所（address）、ログイン名（login）、パスワード（password）を取得します。そして、各々の列名をキーにして、次のような配列にします。

```
[
    'id'=>$row['id'],
    'name'=>$row['name'],
    'address'=>$row['address'],
    'login'=>$row['login'],
    'password'=>$row['password']
]
```

この配列を$_SESSION['customer']に代入します。なお、以下は$row（行を表す配列）の全体を代入することと同じなので、簡潔に「$_SESSION['customer']=$row;」とも書けます。

```
$_SESSION['customer']=[
    'id'=>$row['id'], 'name'=>$row['name'],
    'address'=>$row['address'], 'login'=>$row['login'],
    'password'=>$row['password']];
```

　以後は、下記のような記法を用いて、顧客情報を取得できるようになります。なお、この例では顧客情報の全項目をセッションデータに格納しましたが、一部の項目（例えば顧客番号と顧客名）だけを格納することもできます。

Table　顧客情報の取得

情報	記法
顧客番号	$_SESSION['customer']['id']
顧客名	$_SESSION['customer']['name']
住所	$_SESSION['customer']['address']
ログイン名	$_SESSION['customer']['login']
パスワード	$_SESSION['customer']['password']

 ログイン結果の表示

　ログインが成功した場合には、$_SESSION['customer']が定義されているはずです。そこで、変数が定義されているかどうかを調べるisset関数（p.94）を使って、ログインに成功したかどうかを調べます。

```
if (isset($_SESSION['customer'])) {
```

　ログインに成功した場合には、歓迎のメッセージを表示します。セッションデータから顧客名を取得して、メッセージを表示しています。

```
echo 'いらっしゃいませ、', $_SESSION['customer']['name'], 'さん。';
```

 ログアウト機能を作成する

　ログイン機能と対になるログアウト機能を作成しましょう。ログアウトするには、ログイン時に作成したセッションデータを削除します。

ログアウト処理のために、次のようなログアウト画面を表示しましょう。

Fig　ログアウト画面

7

7-2
▼
サ
イ
ト
へ
の
ロ
グ
イ
ン
・
ロ
グ
ア
ウ
ト
処
理
　
ロ
グ
イ
ン
、
ロ
グ
ア
ウ
ト
、
セ
ッ
シ
ョ
ン

List　logout-input.php ［PHP］

```php
<?php require '../header.php'; ?>
<?php require 'menu.php'; ?>
<p>ログアウトしますか？</p>
<a href="logout-output.php">ログアウト</a>
<?php require '../footer.php'; ?>
```

ログアウト画面のスクリプトファイルはchapter7¥logout-input.phpです。実行するには、ブラウザで以下のURLを開きます。［ログアウト］メニューから実行することもできます。

実行　http://localhost/php/chapter7/logout-input.php

正しく実行できた場合には、［ログアウト］リンクが表示されます。リンクは<a>タグを用いて作成しました。このリンクを選択すると、ログアウト処理のスクリプト（logout-output.php）が実行されます。

ログアウト処理のスクリプトは以下の通りです。ファイルはchapter7¥logout-output.phpです。

List　logout-output.php ［PHP］

```php
<?php session_start(); ?>
<?php require '../header.php'; ?>
<?php require 'menu.php'; ?>
<?php
if (isset($_SESSION['customer'])) {
    unset($_SESSION['customer']);
    echo 'ログアウトしました。';
} else {
    echo 'すでにログアウトしています。';
}
?>
<?php require '../footer.php'; ?>
```

ログアウト画面において［ログアウト］リンクを選択することで、スクリプトが実行されます。ログインしていた場合には、「ログアウトしました。」と表示されます。

　まだログインしていない場合や、既にログアウトしていた場合には、「すでにログアウトしています。」と表示されます。

解　説

 セッションデータの削除

　ログアウトのスクリプトでもセッションを利用するので、最初にsession_start関数を呼び出します。

```
session_start();
```

　次に、現在ログインしているかどうかを調べます。isset関数を使って、$_SESSION['customer']が定義されているかどうかを確認します。

```
if (isset($_SESSION['customer'])) {
```

　ログインしている場合には、ログアウトします。unset関数を使って、顧客情報が格納された$_SESSION['customer']を削除します。

```
unset($_SESSION['customer']);
```

7-3

顧客情報の登録

データ登録、更新

初めてサイトにログインする際には、ログイン名やパスワードを新規に登録する必要があります。また、後からログイン名やパスワードを更新したくなることもあるでしょう。このような、ログイン名・パスワード・顧客名・住所などの登録と更新を行う機能を実現しましょう。

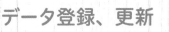

▼ここでやること

顧客情報の新規登録と
データ更新の処理を作成
しましょう。

 step 1 顧客情報の入力画面を表示する

最初に、顧客情報の入力画面を表示しましょう。

Fig 　顧客情報の入力画面

List 　customer-input.php 　　　　　　　　　　　　　　　　　　　　　　　　　PHP

```php
<?php session_start(); ?>
<?php require '../header.php'; ?>
<?php require 'menu.php'; ?>
<?php
$name=$address=$login=$password='';
if (isset($_SESSION['customer'])) {
    $name=$_SESSION['customer']['name'];
```

```
    $address=$_SESSION['customer']['address'];
    $login=$_SESSION['customer']['login'];
    $password=$_SESSION['customer']['password'];
}
echo '<form action="customer-output.php" method="post">';
echo '<table>';
echo '<tr><td>お名前</td><td>';
echo '<input type="text" name="name" value="', $name, '">';
echo '</td></tr>';
echo '<tr><td>ご住所</td><td>';
echo '<input type="text" name="address" value="', $address, '">';
echo '</td></tr>';
echo '<tr><td>ログイン名</td><td>';
echo '<input type="text" name="login" value="', $login, '">';
echo '</td></tr>';
echo '<tr><td>パスワード</td><td>';
echo '<input type="password" name="password" value="', $password, '">';
echo '</td></tr>';
echo '</table>';
echo '<input type="submit" value="確定">';
echo '</form>';
?>
<?php require '../footer.php'; ?>
```

　　スクリプトファイルはchapter7¥customer-input.phpです。実行するには、ブラウザで以下のURLを開きます。

実行　http://localhost/php/chapter7/customer-input.php

　　正しく実行できた場合には、名前・住所・ログイン名・パスワードの入力欄と、[確定]ボタンが表示されます。この画面は、[会員登録]メニューから開くこともできます。

 解　説

 登録情報の表示

　　顧客情報を更新する場合には、現在登録されている顧客情報を表示したうえで、変更が必要な箇所だけユーザーに編集してもらうのがよいでしょう。今回のスクリプトでは、ログイン時にセッションデータへ格納する顧客情報（p.278）を利用して、登録済みの情報を表示します。
　　セッションを使うので、session_start関数を呼び出します。

```
session_start();
```

　顧客名、住所、ログイン名、パスワードを保存する変数を用意し、空の文字列を代入しておさまます。複数の変数に同じ値を代入する場合には、次のようにまとめて記述することができます。別々に記述した場合に比べて、スクリプトを短くできることが利点です。

```
$name=$address=$login=$password='';
```

　次に、セッションデータに顧客情報が登録されているかどうかを調べます。変数が定義されているかどうかを調べるisset関数を使います。

```
if (isset($_SESSION['customer'])) {
```

　顧客情報が登録されていたら、セッションデータから顧客情報を読み出して、各変数に登録します。以下は顧客名（name）の例です。

```
$name=$_SESSION['customer']['name'];
```

　これらの変数は、<input>タグを生成する際に使います。例えば顧客名の場合には、以下のように<input>タグを生成します。

```
echo '<input type="text" name="name" value="', $name, '">';
```

　実際に生成された<input>タグは、以下のようになります。これはテキストボックスで、あらかじめ顧客名の「熊木 和夫」が入力された状態になっています。

```
<input type="text" name="name" value="熊木 和夫">
```

顧客情報の登録や更新を行う

　入力した顧客情報を、登録または更新する処理を行いましょう。以下のスクリプトを記述します。ファイルはchapter7¥customer-output.phpです。
　このスクリプトでは、ログイン名やパスワードなどの形式はチェックしていません。正規表現（p.149、p.155）を利用すると、文字数や文字の種類などが適切かどうかを判定できます。

```php
<?php session_start(); ?>
<?php require '../header.php'; ?>
<?php require 'menu.php'; ?>
<?php
$pdo=new PDO('mysql:host=localhost;dbname=shop;charset=utf8',
              'staff', 'password');
if (isset($_SESSION['customer'])) {
    $id=$_SESSION['customer']['id'];
    $sql=$pdo->prepare('select * from customer where id!=? and login=?');
    $sql->execute([$id, $_REQUEST['login']]);
} else {
    $sql=$pdo->prepare('select * from customer where login=?');
    $sql->execute([$_REQUEST['login']]);
}
if (empty($sql->fetchAll())) {
    if (isset($_SESSION['customer'])) {
        $sql=$pdo->prepare('update customer set name=?, address=?, '.
                            'login=?, password=? where id=?');
        $sql->execute([
            $_REQUEST['name'], $_REQUEST['address'],
            $_REQUEST['login'], $_REQUEST['password'], $id]);
        $_SESSION['customer']=[
            'id'=>$id, 'name'=>$_REQUEST['name'],
            'address'=>$_REQUEST['address'], 'login'=>$_REQUEST['login'],
            'password'=>$_REQUEST['password']];
        echo 'お客様情報を更新しました。';
    } else {
        $sql=$pdo->prepare('insert into customer values(null,?,?,?,?)');
        $sql->execute([
            $_REQUEST['name'], $_REQUEST['address'],
            $_REQUEST['login'], $_REQUEST['password']]);
        echo 'お客様情報を登録しました。';
    }
} else {
    echo 'ログイン名がすでに使用されていますので、変更してください。';
}
?>
<?php require '../footer.php'; ?>
```

　　顧客情報を新規に登録する場合には、7-2のログアウト機能（p.278）を使ってログアウトしておきます。ログアウトしていない場合には、既存の顧客情報を更新します。

　　ログアウトした状態で、Step1の入力画面において、例えば以下のような顧客情報を入力します。

Table　入力する顧客情報

列	値
顧客名	猫田 重蔵
住所	静岡県静岡市葵区追手町9-6
ログイン名	nekota
パスワード	CatField10

Fig　顧客情報の入力

　[確定]ボタンを選択すると、「お客様情報を登録しました。」と表示されます。ログイン名が既存のログイン名と重複している場合には、「ログイン名がすでに使用されていますので、変更してください。」と表示されます。

Fig　顧客情報の登録

　登録に成功したら、メニューから[ログイン]を選択して、ログインしてみてください。登録したログイン名とパスワードで、ログインできるはずです。ログインに成功すると、登録した顧客名が表示されます。
　ログインした状態で、メニューから[会員登録]リンクを選択し、再びStep1の入力画面を開いてみてください。登録した顧客情報が、入力欄にあらかじめ入力された状態で表示されます。この画面で顧客情報を変更してみましょう。例えば、パスワードを「CatRiceField10」に変更して、[確定]ボタンを選択すると、「お客様情報を更新しました。」と表示されます。

Fig　顧客情報の更新

　更新した顧客情報を使って、再びログインしてみてください。ログイン名と新しいパスワードで、ログインすることができます。

 ログイン名の重複確認

　最初に、セッションの開始とデータベースへの接続を行います。この段階は7-2のログインの場合（p.276）と同じです。

　次に、指定されたログイン名が、既に使われているかどうかを調べます。この処理は、ログインしている場合と、ログインしていない場合で処理の内容が異なります。

　ログインしている場合には、ログインしているユーザー以外で同じログイン名を使っているユーザーを、次のようなSQL文を使って検索します。idにはログインしているユーザーの顧客番号、loginにはログイン名を指定します。!=は等しくないことを表す演算子です。

```
select * from customer where id!=? and login=?
```

　ログインしていない場合には、同じログイン名を使っているユーザーを、次のようなSQL文を使って検索します。loginにはログイン名を指定します。

```
select * from customer where login=?
```

　いずれの場合も、検索結果が空ならば、ログイン名が重複している他のユーザーはいないということです。検索結果が空かどうかを調べる方法はいくつかありますが、ここではempty関数（p.236）を使います。引数に指定した変数や配列が空のとき、empty関数はTRUEを返します。

```
if (empty($sql->fetchAll())) {
```

　検索結果の取得には、PDOStatementクラスのfetchAllメソッドを使います。fetchAllメソッドは、検索結果を配列で返します。検索結果が空ならば、空の配列を返します。

書式 fetchAll

```
PDOStatementの変数->fetchAll()
```

 顧客情報の更新

　ログインしていたら更新を行い、ログインしていなかったら登録を行います。セッションデータが存在するかどうかをisset関数（p.94）で調べて、ログイン状態を判定します。

```
if (isset($_SESSION['customer'])) {
```

ログインしている場合には、次のようなSQLのupdate文（p.239）を使って、データベースを更新します。

```
update customer set name=?, address=?, login=?, password=? where id=?
```

?の部分に、顧客名・住所・ログイン名・パスワード・顧客番号を指定して、SQL文を実行します。executeメソッド（p.220）を使います。

```
$sql->execute([
    $_REQUEST['name'], $_REQUEST['address'],
    $_REQUEST['login'], $_REQUEST['password'], $id]);
```

データベースの更新を終えたら、セッションデータも最新の情報に更新します。顧客番号（id）、顧客名（name）、住所（address）、ログイン名（login）、パスワード（password）の列名をキーにして、配列を作成し、`$_SESSION['customer']`に代入します。7-2のStep2のログイン処理（p.277）でも、似たような処理を行いました。

```
$_SESSION['customer']=[
    'id'=>$id, 'name'=>$_REQUEST['name'],
    'address'=>$_REQUEST['address'], 'login'=>$_REQUEST['login'],
    'password'=>$_REQUEST['password']];
```

 ## 顧客情報の登録

ログインしていない場合には、次のようなSQLのinsert文（p.228）を使って、データベースに顧客情報を登録します。

```
insert into customer values(null,?,?,?,?)
```

この場合は?の部分に顧客名・住所・ログイン名・パスワードを指定して、SQL文を実行します。executeメソッドを使います。

```
$sql->execute([
    $_REQUEST['name'], $_REQUEST['address'],
    $_REQUEST['login'], $_REQUEST['password']]);
```

ショッピングサイトでおなじみのカートの処理を作っていきましょう。商品をカートに登録する処理です。商品の詳細ページで情報を確認したうえで、カートに追加できるようにします。

▼ ここでやること

> 商品の詳細情報を表示するページから、カートに商品を追加できるようにしましょう。

商品の一覧ページを表示する

最初に商品の一覧ページを表示し、そこから詳細ページに進めるようにしましょう。一覧ページには、商品テーブルに登録されている商品を検索する機能も用意してあります。

List product.php `PHP`

```php
<?php require '../header.php'; ?>
<?php require 'menu.php'; ?>
<form action="product.php" method="post">
商品検索
<input type="text" name="keyword">
<input type="submit" value="検索">
</form>
```

```
<hr>
<?php
echo '<table>';
echo '<tr><th>商品番号</th><th>商品名</th><th>価格</th></tr>';
$pdo=new PDO('mysql:host=localhost;dbname=shop;charset=utf8',
             'staff', 'password');
if (isset($_REQUEST['keyword'])) {
    $sql=$pdo->prepare('select * from product where name like ?');
    $sql->execute(['%'._$_REQUEST['keyword'].'%']);
} else {
    $sql=$pdo->query('select * from product');
}
foreach ($sql as $row) {
    $id=$row['id'];
    echo '<tr>';
    echo '<td>', $id, '</td>';
    echo '<td>';
    echo '<a href="detail.php?id=', $id, '">', $row['name'], '</a>';
    echo '</td>';
    echo '<td>', $row['price'], '</td>';
    echo '</tr>';
}
echo '</table>';
?>
<?php require '../footer.php'; ?>
```

Fig　商品の一覧ページ

　スクリプトのファイルはchapter7¥product.phpです。実行するには、ブラウザで以下のURL
を開きます。また、[商品]メニューから実行することもできます。

実行　http://localhost/php/chapter7/product.php

正しく実行できた場合には、全商品の一覧が表示されます。また、画面上部にある検索欄で、商品の検索を行うことができます。商品データの一覧表示（p.200）と検索（p.216）の詳細は、Chapter6を参照してください。

 解　説

 検索結果の表示

データの表示を行う際に、リクエストパラメータに検索キーワードが含まれているときには、商品の検索を行います。検索キーワードの有無は、以下のif文で調べます。

```php
if (isset($_REQUEST['keyword'])) {
```

検索キーワードのリクエストパラメータ名はkeywordとしました（検索の入力欄のname属性をkeywordにしています）。ここで行う検索は、商品名の部分一致検索（p.222）です。検索キーワードが商品名に含まれている商品を検索します。

リクエストパラメータに検索キーワードが含まれていないときには、商品の一覧を表示します。

 詳細ページを表示する

Step1で作成した商品一覧から商品を選択したときに、商品の詳細情報を表示しましょう。以下のスクリプトを記述します。ファイルはchapter7¥detail.phpです。

List　detail.php　　　　　　　　　　　　　　　　　　　　　　　PHP

```php
<?php require '../header.php'; ?>
<?php require 'menu.php'; ?>
<?php
$pdo=new PDO('mysql:host=localhost;dbname=shop;charset=utf8',
            'staff', 'password');
$sql=$pdo->prepare('select * from product where id=?');
$sql->execute([$_REQUEST['id']]);
foreach ($sql as $row) {
```

```
    echo '<p><img alt="image" src="image/', $row['id'], '.jpg"></p>';
    echo '<form action="cart-insert.php" method="post">';
    echo '<p>商品番号:', $row['id'], '</p>';
    echo '<p>商品名:', $row['name'], '</p>';
    echo '<p>価格:', $row['price'], '</p>';
    echo '<p>個数:<select name="count">';
    for ($i=1; $i<=10; $i++) {
        echo '<option value="', $i, '">', $i, '</option>';
    }
    echo '</select></p>';
    echo '<input type="hidden" name="id" value="', $row['id'], '">';
    echo '<input type="hidden" name="name" value="', $row['name'], '">';
    echo '<input type="hidden" name="price" value="', $row['price'], '">';
    echo '<p><input type="submit" value="カートに追加"></p>';
    echo '</form>';
    echo '<p><a href="favorite-insert.php?id=', $row['id'],
        '">お気に入りに追加</a></p>';
}
?>
<?php require '../footer.php'; ?>
```

　スクリプトを実行するには、Step1の商品一覧ページから、商品のリンクを選択します。例えば「カシューナッツ」のリンクを選択すると、商品の詳細が表示されます。

Fig　商品詳細の表示

商品情報としては、商品画像、商品番号、商品名、価格を表示します。また、購入数を指定するためのセレクトボックスと、商品をカートに追加するためのボタンも表示します。商品画像は、スクリプトを保存したフォルダ内に「image」というフォルダを用意し、そのなかに「商品番号.jpg」という名前で格納しておきます。

　また、このスクリプトでは商品をお気に入りに追加するためのリンクも表示します。お気に入り機能については、7-5（p.304）で説明します。

解　説

商品情報の取得

　指定した商品番号の商品情報を、次のようなselect文で取得します。

```
select * from product where id=?
```

　?の部分に、リクエストパラメータで取得した商品番号を指定して、SQL文を実行します。実行には、executeメソッド（p.220）を使います。

```
$sql->execute([$_REQUEST['id']]);
```

　SQL文の実行結果をforeachメソッドを使って処理し（p.222）、商品情報を表示します。なお、foreachループを使いますが、ある商品番号に対応する商品は1つだけなので、表示する商品情報も1つだけです。

　変数$rowには、取得した商品テーブルの行が格納されています。例えば商品番号（id）は、$row['id']のように取得できます。この商品番号は、次のように表示します。実際には「商品番号：5」のように表示されます。

```
echo '<p>商品番号:', $row['id'], '</p>';
```

　商品の画像は、<img>タグを使って表示します。画像はimageフォルダに、「画像番号.jpg」の形式で格納しています。例えば商品番号が5の場合は、<img alt="image" src="image/5.jpg">のような<img>タグを生成します。以下のスクリプトは、この<img>タグと<p>タグを生成します。

```
echo '<p><img alt="image" src="image/', $row['id'], '.jpg"></p>';
```

カートに追加する

商品をカートに追加するために、フォームを用意します。[カートに追加]ボタンが選択されると、カートに商品を追加するスクリプトcart-insert.phpが実行されます。

```
echo '<form action="cart-insert.php" method="post">';
```

フォーム内に、個数を選択するセレクトボックスを配置します。

```
echo '<p>個数:<select name="count">';
...
echo '</select></p>';
```

個数は1個から10個までを指定できるようにします。そのためにはセレクトボックスのなかに、1から10までの<option>タグを配置する必要があります。この<option>タグは、4-4(p.112)のようにforループを使って作成します。

```
for ($i=1; $i<=10; $i++) {
    echo '<option value="', $i, '">', $i, '</option>';
}
```

このforループは、開始時に変数$iを1にして、$iが10以下の間、繰り返しを行います。そして、以下のような<option>タグを生成します。

```
<option value="1">1</option>
<option value="2">2</option>
...
```

商品をカートに追加するスクリプトは、商品番号、商品名、価格の情報を使います。そこで、これらの情報をリクエストパラメータに含めるために、type属性がhiddenの<input>タグを配置します。type属性がhiddenなので画面には表示されませんが、<input>タグに書いた情報は、サーバに送信されます。

例えば商品番号については、<input type="hidden" name="id" value="5">のような<input>タグを配置します。ここでは商品番号を5としました。この<input>タグは、以下のスクリプトで生成します。

```
echo '<input type="hidden" name="id" value="', $row['id'], '">';
```

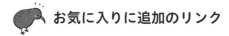
お気に入りに追加のリンク

　[お気に入りに追加] リンクに関しては、リクエストパラメータ名idに、商品番号を設定します。
お気に入り商品を登録する際に、商品番号が必要になるためです。

　例えば商品番号が5の場合、次のようなリンクを生成します。

```
<a href="favorite-insert.php?id=5">お気に入りに追加</a>
```

　このリンクは次のようなスクリプトで生成します。リンクを表す<a>タグと、段落を表す<p>タグを生成しています。

```
echo '<p><a href="favorite-insert.php?id=', $row['id'],
    '">お気に入りに追加</a></p>';
```

Step 3 カートへ商品を追加する

　商品詳細のページで [カートに追加] ボタンを選択したときに実行されるスクリプトを作成しましょう。以下のスクリプトを記述します。ファイルは**chapter7¥cart-insert.php**です。なお、このスクリプトを実行するには、Step4で説明する**cart.php**も必要です。

List cart-insert.php `PHP`

```php
<?php session_start(); ?>
<?php require '../header.php'; ?>
<?php require 'menu.php'; ?>
<?php
$id=$_REQUEST['id'];
if (!isset($_SESSION['product'])) {
    $_SESSION['product']=[];
}
$count=0;
if (isset($_SESSION['product'][$id])) {
    $count=$_SESSION['product'][$id]['count'];
}
$_SESSION['product'][$id]=[
    'name'=>$_REQUEST['name'],
    'price'=>$_REQUEST['price'],
```

```
      'count'=>$count+$_REQUEST['count']
];
echo '<p>カートに商品を追加しました。</p>';
echo '<hr>';
require 'cart.php';
?>
<?php require '../footer.php'; ?>
```

スクリプトを実行するには、Step2の商品詳細ページで個数を選択した後に、[カートに追加]
ボタンを選択します（実行には後述するcart.phpが必要です）。例えば「カシューナッツ」の商品詳
細ページで、個数を1個にして[カートに追加]ボタンを選択すると、以下のカート画面が表示され
ます。カートにカシューナッツが1個、追加されています。

Fig　カートに追加する

カート内にある商品と、同じ商品をさらに追加してみましょう。カシューナッツの商品詳細ペー
ジに戻り、個数を2個にして[カートに追加]ボタンを選択すると、カート内のカシューナッツは1
個＋2個で3個になります。

Fig　同じ商品をカートに追加する

カートに含まれていない商品を追加してみましょう。例えばアーモンドの商品詳細ページから、
個数を2個にして[カートに追加]ボタンを選択すると、カート内にはカシューナッツが3個と、
アーモンドが2個入った状態になります。

Fig　異なる商品をカートに追加する

セッションデータの構造

　カート内の商品情報は、セッションデータを表現する変数$_SESSIONのなかに、次のような方法で保存することにします。$_SESSIONはPHPが用意する変数（配列）です（p.273）。

Table　カート内の商品情報

変数	保存する値の種類
$_SESSION['product'][商品番号]['name']	商品名
$_SESSION['product'][商品番号]['price']	価格
$_SESSION['product'][商品番号]['count']	個数

　例えば、以下は3個のカシューナッツをカートに入れた場合です。

Table　商品情報の例①

変数	保存する値
$_SESSION['product'][5]['name']	'カシューナッツ'
$_SESSION['product'][5]['price']	250
$_SESSION['product'][5]['count']	3

　例えば、以下は2個のアーモンドをカートに入れた場合です。

変数	保存する値
`$_SESSION['product'][4]['name']`	'アーモンド'
`$_SESSION['product'][4]['price']`	220
`$_SESSION['product'][4]['count']`	2

　カシューナッツとアーモンドの両方をカートに入れた場合には、上記のカシューナッツとアーモンドに関する値が、全て設定された状態になります。

 ## カートの初期化

　カートを表す変数は`$_SESSION['product']`です。本章では便宜上、カート変数と呼ぶことにします。
　ショッピングを始めた時点では、カート変数は定義されていません。カート変数が未定義の場合には、カート変数に空の配列を設定して、カートを空の状態に初期化することにします。
　カート変数が定義されているかどうかを、isset関数（p.94）を使って調べます。

```
if (!isset($_SESSION['product'])) {
```

　カート変数が未定義の場合には、以下を実行します。

```
$_SESSION['product']=[];
```

　変数`$_SESSION['product']`に、空の配列を設定しています。`[]`は空の配列を表します。

 ## 既にカートに入っている個数の取得

　既にカートに入っている商品と、同じ商品をカートに入れた場合に、個数を合計する処理を行います。まず、個数を表す変数`$count`に0を代入しておきます。

```
$count=0;
```

　次に、カートに入れた商品と同じ商品がカート内にあるかどうかを、isset関数を使って調べます。

```
if (isset($_SESSION['product'][$id])) {
```

同じ商品がある場合には、既にカート内にある商品の個数を取得し、変数$countに代入します。

```
$count=$_SESSION['product'][$id]['count'];
```

 ## カートに商品を登録する

カートに商品を登録します。前述のカートの構造に基づいて、商品名、価格、個数を登録します。

```
$_SESSION['product'][$id]=[
    'name'=>$_REQUEST['name'],
    'price'=>$_REQUEST['price'],
    'count'=>$count+$_REQUEST['count']
];
```

　商品名と価格については、リクエストパラメータで取得した値をそのまま格納します。個数については、変数$countにリクエストパラメータで取得した個数を加算して、格納します。既にカートに同じ商品が入っていた場合は、$countに既に入っている個数が設定されているので、新しく追加した個数との合計個数が登録されます。
　最後に、カート内の商品一覧を表示します。

```
require 'cart.php';
```

　require文（p.64）を用いて、cart.phpを読み込みます。require文は指定されたPHPファイルを読み込み、実行します。cart.phpの内容は、次のStep4で説明します。

 # カート内の商品一覧を表示する

　カート内の商品一覧を表示する処理は、カートに商品を追加したときだけでなく、カートから商品を削除したときにも使います。そこで、表示処理をcart.phpというファイルにまとめておき、各機能のスクリプトからrequire文で読み込みます。
　以下のスクリプトを記述します。ファイルはchapter7¥cart.phpです。

 cart.php `PHP`

```php
<?php
if (!empty($_SESSION['product'])) {
    echo '<table>';
    echo '<tr><th>商品番号</th><th>商品名</th>';
    echo '<th>価格</th><th>個数</th><th>小計</th><th></th></tr>';
    $total=0;
    foreach ($_SESSION['product'] as $id=>$product) {
        echo '<tr>';
        echo '<td>', $id, '</td>';
        echo '<td><a href="detail.php?id=', $id, '">',
            $product['name'], '</a></td>';
        echo '<td>', $product['price'], '</td>';
        echo '<td>', $product['count'], '</td>';
        $subtotal=$product['price']*$product['count'];
        $total+=$subtotal;
        echo '<td>', $subtotal, '</td>';
        echo '<td><a href="cart-delete.php?id=', $id, '">削除</a></td>';
        echo '</tr>';
    }
    echo '<tr><td>合計</td><td></td><td></td><td></td><td>', $total,
        '</td><td></td></tr>';
    echo '</table>';
} else {
    echo 'カートに商品がありません。';
}
?>
```

 解　説

カートが空かどうかの判定

　最初に、カートが空かどうかを判定します。カートが空なのは、まだカートに1個も商品を追加していない場合と、カートから全ての商品を削除した場合です。

　変数が空かどうかを調べるempty関数（p.236）を使って、以下のように判定します。

```php
if (!empty($_SESSION['product'])) {
```

　$_SESSION['product']はカート変数です。カート変数は、カート内にある商品の配列になっています。商品が入っていないときには、配列は空の状態です。配列が空のとき、empty関

数はTRUEを返します。

　カートに1個も商品を追加していないとき、$_SESSION['product']は未定義の状態です。変数が未定義のときも、empty関数はTRUEを返します。

　カートが空の場合には、「カートに商品がありません。」というメッセージを表示します。カートが空でない場合には、カート内の商品一覧を表示します。

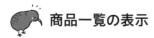 商品一覧の表示

　カート内の商品は、次のような方法でカート変数$_SESSION['product']に保存されています。

```
$_SESSION['product'][商品番号A]
$_SESSION['product'][商品番号B]
  ...
```

　カート内の商品一覧を表示するには、foreach文を用いて、全ての商品番号について順に情報を取り出します。

```
foreach ($_SESSION['product'] as $id=>$product) {
```

　カート変数から要素を1つずつ取り出します。変数$idには要素のキーが入り、$productに要素の値が入ります。例えば、カートの内容が以下の通りだとします。

Table　カートの内容

変数	値
$_SESSION['product'][5]['name']	'カシューナッツ'
$_SESSION['product'][5]['price']	250
$_SESSION['product'][5]['count']	3

　$idにはキーの5が入ります。これは商品番号を表しています。$productは、次のような配列になります。

Table　$productの状態

変数	値
$product['name']	'カシューナッツ'
$product['price']	250
$product['count']	3

商品番号を表示するには、$idを使って次のように記述します。<td>はHTMLの表（テーブル）のなかにあるデータを表します。

```
echo '<td>', $id, '</td>';
```

　実際の出力は、例えば次のようになります。

```
<td>5</td>
```

　価格を表示するには、$productを使って次のように記述します。

```
echo '<td>', $product['price'], '</td>';
```

　実際の出力は、例えば次のようになります。

```
<td>250</td>
```

 ## 商品を削除するリンク

　商品をカートから削除するために、商品ごとに次のようなリンクを生成します。

```
<a href="cart-delete.php?id=商品番号">削除</a>
```

　このリンクを選択すると、cart-delete.phpというスクリプトが実行されます。このスクリプトには、リクエストパラメータ名idで商品番号を渡します。cart-delete.phpは、次のStep5で説明します。
　例えば商品番号が5ならば、次のようなリンクを生成します。

```
<a href="cart-delete.php?id=5">削除</a>
```

　リンクを生成するスクリプトは以下の通りです。このリンクはHTMLの表のなかにあるデータなので、<td>タグも生成しています。

```
echo '<td><a href="cart-delete.php?id=', $id, '">削除</a></td>';
```

 **小計と合計の計算**

　カートには、商品ごとの小計と、全商品の合計の金額を表示します。まず、小計は商品ごとに、「小計 = 価格 * 個数」のように計算します。「*」は乗算の演算子です。実際のスクリプトは以下のようになります。ここでは小計を変数$subtotalに格納します。

```php
$subtotal=$product['price']*$product['count'];
```

　合計は変数$totalに格納することにしました。最初に、合計を0にしておきます。

```php
$total=0;
```

　合計は「合計 += 小計」の方法で計算します。「+=」は左辺に右辺を足し込む演算子です。ここでは合計に小計を足し込みます。この処理を全商品について行い、全商品の合計の金額を求めます。実際のスクリプトは以下です。

```php
$total+=$subtotal;
```

 カート内の商品を削除する

　カート内にある商品のなかから、指定した商品を削除します。商品を削除した後は、カート内の商品一覧を再び表示します。

　カート内の商品を削除する処理を実現しましょう。以下のスクリプトを記述します。ファイルはchapter7¥cart-delete.phpです。このスクリプトを実行するには、cart.php（p.299）も必要です。

List 🥝 cart-delete.php 　　　　　　　　　　　　　　　　　　　　　　　　　　　　`PHP`

```php
<?php session_start(); ?>
<?php require '../header.php'; ?>
<?php require 'menu.php'; ?>
<?php
unset($_SESSION['product'][$_REQUEST['id']]);
echo 'カートから商品を削除しました。';
echo '<hr>';
require 'cart.php';
?>
<?php require '../footer.php'; ?>
```

スクリプトを実行するには、カートの一覧を表示した状態から、削除したい商品の右側にある[削除]リンクを選択します。例えば「アーモンド」を削除すると、削除したというメッセージが表示されるとともに、アーモンドが削除された状態のカートが表示されます。

Fig カートの商品を削除する

全ての商品を削除すると、カートが空になります。

Fig カートの全商品を削除する

商品の削除

前述の通り、カート内の商品は、$_SESSION['product'][商品番号]のような変数に保存されています。削除したい商品について、この変数を削除すれば、カートから商品を取り除くことができます。変数を削除するには、unset関数（p.276）を使います。

```
unset($_SESSION['product'][$_REQUEST['id']]);
```

削除する商品番号は、リクエストパラメータから取得しています。リクエストパラメータ名はidです。

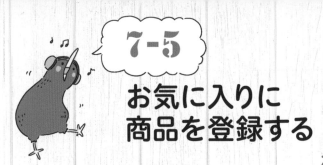

お気に入りに
商品を登録する

お気に入り

お気に入りとは、ユーザーが購入を検討している商品のリストを作るための機能です。「ウィッシュリスト」などとも呼ばれています。お気に入りへの商品の追加、表示、削除を実現しましょう。

▼ ここでやること

| PHP | 商品　お気に入り　購入履歴　カート　購入　ログイン　ログアウト　会員登録 |

| お気に入りに商品を追加しました。 |

商品番号	商品名	価格	
2	くるみ	270	削除
8	マカダミアナッツ	600	削除

> 購入を検討する商品をお気に入りリストに登録できるようにしましょう。

お気に入りを追加する

7-4で作成した商品詳細（p.290）で［お気に入りに追加］リンクを選択したときに、商品をお気に入りに追加する処理を作成しましょう。以下のスクリプトを記述します。ファイルはchapter7¥favorite-insert.phpです。このスクリプトを実行するには、Step2のfavorite.phpも必要です。

favorite-insert.php

```php
<?php session_start(); ?>
<?php require '../header.php'; ?>
<?php require 'menu.php'; ?>
<?php
if (isset($_SESSION['customer'])) {
    $pdo=new PDO('mysql:host=localhost;dbname=shop;charset=utf8',
                'staff', 'password');
    $sql=$pdo->prepare('insert into favorite values(?,?)');
    $sql->execute([$_SESSION['customer']['id'], $_REQUEST['id']]);
    echo 'お気に入りに商品を追加しました。';
    echo '<hr>';
    require 'favorite.php';
} else {
```

```
        echo 'お気に入りに商品を追加するには、ログインしてください。';
}
?>
<?php require '../footer.php'; ?>
```

　スクリプトを実行するには、商品詳細ページで、［お気に入りに追加］リンクを選択します。例
えば「マカダミアナッツ」の商品詳細ページで、［お気に入りに追加］リンクを選択すると、お気に
入りにマカダミアナッツが追加されます。

Fig　商品をお気に入りに追加する

　ログインしていない場合には、ログインを促すメッセージが表示されます。［ログイン］メニュー
を選択して、ログインしてから再度実行してください。

Fig　ログインしていない場合

解　説

データベースの構造

　お気に入りの商品は、データベースのfavoriteテーブルのなかに、次のような方法で保存する
ことにします。

Fig　お気に入りの保存方法

例えば、顧客番号1のユーザーが、商品番号8のマカダミアナッツを登録すると、favoriteテーブルは次のようになります。

favoriteテーブルの状態

　続けて同じユーザーが、商品番号2のくるみを登録すると、favoriteテーブルは次のように変化します。なお、行の順番はRDBMS製品によって異なる可能性があります。

商品を追加する

　複数のユーザーがお気に入り機能を利用すると、favoriteテーブルには、各々のユーザーが登録した行が並びます。

複数ユーザーが登録する場合

 お気に入りの追加

　このお気に入り機能を使うには、ユーザーがログインしている必要があります。そこでまず、ユーザーがログインしているかどうかを調べます。isset関数（p.94）で、セッションオブジェクトにcustomerが登録されているかどうかを調べます。

```php
if (isset($_SESSION['customer'])) {
```

ログインしていたら、次のようなSQL文を実行して、お気に入りを登録します。

```
insert into favorite values(?,?)
```

?の部分には、顧客番号と商品番号を指定します。実際のスクリプトは以下です。

```php
$sql=$pdo->prepare('insert into favorite values(?,?)');
$sql->execute([$_SESSION['customer']['id'], $_REQUEST['id']]);
```

セッションデータから取得した顧客番号と、リクエストパラメータから取得した商品番号を指定して、SQL文を実行します。

お気に入り表示の共通処理を作成する

お気に入りの商品一覧を表示する共通処理です。以下のスクリプトを記述します。ファイルはchapter7¥favorite.phpです。

favorite.php   PHP

```php
<?php
if (isset($_SESSION['customer'])) {
    echo '<table>';
    echo '<tr><th>商品番号</th><th>商品名</th>';
    echo '<th>価格</th><th></th></tr>';
    $pdo=new PDO('mysql:host=localhost;dbname=shop;charset=utf8',
                 'staff', 'password');
    $sql=$pdo->prepare(
        'select * from favorite, product '.
        'where customer_id=? and product_id=id');
    $sql->execute([$_SESSION['customer']['id']]);
    foreach ($sql as $row) {
        $id=$row['id'];
        echo '<tr>';
        echo '<td>', $id, '</td>';
        echo '<td><a href="detail.php?id='.$id.'">', $row['name'],
            '</a></td>';
        echo '<td>', $row['price'], '</td>';
        echo '<td><a href="favorite-delete.php?id=', $id,
```

```
                '">削除</a></td>';
        echo '</tr>';
    }
    echo '</table>';
} else {
    echo 'お気に入りを表示するには、ログインしてください。';
}
?>
```

このスクリプトは、他のスクリプトからrequire文で読み込んで利用します。

解　説

 お気に入りの取得と表示

最初に、ログインしているかどうかを調べます。変数$_SESSION['customer']が定義され
ているかどうかを、isset関数（p.94）を使って調べます。定義されていなければ、ログインを促す
メッセージを表示します。

```
if (isset($_SESSION['customer'])) {
```

次に、favoriteテーブルから、ログインしているユーザーのお気に入り一覧を取得します。例え
ば、favoriteテーブルが以下の場合を考えます。

Fig　favoriteテーブルの状態

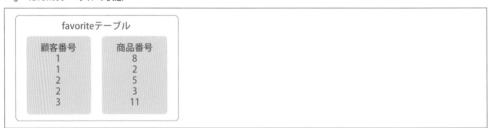

ユーザーの顧客番号が1の場合、取得したいのは顧客番号が1の行です。これは以下のSQL文で
取得できます。?の部分に顧客番号を指定します。

```
select * from favorite where customer_id=?
```

取得した行は次の通りです。

Fig 取得した行

商品番号だけではなく、商品名や価格なども表示したいので、商品情報を保持するproductテーブルと結合します。favoriteとproductを「,」で区切って指定します。

```
select * from favorite, product where customer_id=?
```

favoriteテーブルの商品番号（product_id列）と、productテーブルの商品番号（id列）が一致している行だけが必要なので、where句に条件を追加します。

```
select * from favorite, product where customer_id=? and product_id=id
```

上記のSQL文を実行すると、次のような行が取得できます。

Fig テーブルを結合して取得した行

SQL文を実行するスクリプトは以下です。SQL文が長いので、文字列を結合する演算子「.」を使って、複数行に分けました。

```
$sql=$pdo->prepare(
    'select * from favorite, product '.
    'where customer_id=? and product_id=id');
$sql->execute([$_SESSION['customer']['id']]);
```

取得した行は、foreachループで処理します。各行が変数$rowに格納されます。

```
foreach ($sql as $row) {
```

例えば商品番号は、次のように取得できます。ここでは変数$idに代入します。

```
$id=$row['id'];
```

商品番号、商品名、価格を表示するとともに、商品をお気に入りから削除するために、[削除]リンクも配置します。例えばマカダミアナッツ（商品番号8）に対する[削除]リンクは、次の通りです。

```
<a href="favorite-delete.php?id=8">削除</a>
```

この[削除]リンクは、以下のスクリプトで生成します。

```
echo '<td><a href="favorite-delete.php?id=', $id, '">削除</a></td>';
```

削除の処理は、次のStep3で作成するfavorite-delete.phpで行います。

お気に入りから削除する

お気に入りの商品を削除する処理を実現しましょう。以下のスクリプトを記述します。ファイルはchapter7¥favorite-delete.phpです。

List favorite-delete.php   PHP

```php
<?php session_start(); ?>
<?php require '../header.php'; ?>
<?php require 'menu.php'; ?>
<?php
if (isset($_SESSION['customer'])) {
    $pdo=new PDO('mysql:host=localhost;dbname=shop;charset=utf8',
                 'staff', 'password');
    $sql=$pdo->prepare(
        'delete from favorite where customer_id=? and product_id=?');
    $sql->execute([$_SESSION['customer']['id'], $_REQUEST['id']]);
    echo 'お気に入りから商品を削除しました。';
    echo '<hr>';
} else {
    echo 'お気に入りから商品を削除するには、ログインしてください。';
}
require 'favorite.php';
```

```
?>
<?php require '../footer.php'; ?>
```

スクリプトを実行するには、お気に入りの表示画面で[削除]リンクを選択します。例えば「マカ
ダミアナッツ」の[削除]リンクを選択すると、削除したというメッセージが表示されるとともに、
お気に入りからマカダミアナッツが削除されます。

Fig　お気に入りから商品を削除する

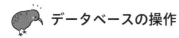 データベースの操作

お気に入りから商品を削除するには、favoriteテーブルから、指定した顧客番号と商品番号の行
を削除します。削除は以下のSQL文で行います。

```
delete from favorite where customer_id=? and product_id=?
```

このSQL文は、次のようなスクリプトで実行します。

```
$sql=$pdo->prepare(
    'delete from favorite where customer_id=? and product_id=?');
$sql->execute([$_SESSION['customer']['id'], $_REQUEST['id']]);
```

?の部分には、セッションデータから取得した顧客番号と、リクエストパラメータから取得した
商品番号を指定します。

📢 メニューからお気に入りを表示する

お気に入りの商品一覧を[お気に入り]メニューから表示できるようにしましょう。以下のスクリプト
を記述します。ファイルはchapter7¥favorite-show.phpです。このスクリプトを実行するには、
favorite.php(p.307)も必要です。

favorite-show.php PHP

```php
<?php session_start(); ?>
<?php require '../header.php'; ?>
<?php require 'menu.php'; ?>
<?php
require 'favorite.php';
?>
<?php require '../footer.php'; ?>
```

　スクリプトを実行するには、[お気に入り]メニューを選択するか、ブラウザで以下のURLを開きます。正しく実行できた場合には、お気に入りの商品一覧が表示されます。

実行 http://localhost/php/chapter7/favorite-show.php

　このスクリプトは、session_start関数を呼び出してセッションを開始し、require文でfavorite.php（お気に入りの表示処理）を読み込んでいるだけです。メニュー側の表示はmenu.php（p.271）で行っています。なお、[カート]メニューのスクリプト（cart-show.php）も、require文で読み込むスクリプト（cart.php）が異なるだけで、仕組みは同じです。

購入と購入履歴

　本書内では解説を省略していますが、Chapter7のサンプルには、商品を購入するための処理と、購入履歴を確認するための処理も用意されています。

● 商品の購入
　購入手続き画面を表示し、カートに登録した商品の購入を確定する機能です。購入にはログインが必要です。
　購入手続き画面には、カートに追加されている商品と顧客情報が表示されます。この画面から、カートに登録した商品を削除することも可能です。
　[購入を確定する]リンクを選択すると、購入情報がデータベースに登録され、カートが空になります。データベースのpurchaseテーブルには顧客番号が、purchase_detailテーブルには購入した商品の番号と個数が登録されます。

Fig　購入手続き画面

購入手続き画面のスクリプトはchapter7¥purchase-input.php、購入確定のスクリプトはchapter7¥purchase-output.phpです。［購入］メニューから実行することが可能です。

● 購入履歴の表示
　ログインしたユーザーが過去に購入した商品の一覧を表示することができます。履歴は、購入ごとに表示されます。履歴に表示される商品はリンクになっていて、選択することで商品詳細のページを開くことができます。過去に購入した商品を、再び購入したいときに便利な機能です。

Fig　購入履歴の表示

| 商品 | お気に入り | 購入履歴 | カート | 購入 | ログイン | ログアウト | 会員登録 |

商品番号	商品名	価格	個数	小計
2	くるみ	270	5	1350
8	マカダミアナッツ	600	1	600
10	ピーナッツ	150	4	600
合計				2550

商品番号	商品名	価格	個数	小計
4	アーモンド	220	2	440
5	カシューナッツ	250	3	750
合計				1190

　購入履歴を表示するスクリプトはchapter7¥history.phpです。［購入履歴］メニューから実行することが可能です。

🔈コメント

　コメントはスクリプトに注釈を書くための機能です。コメントの部分は実行されないので、人間が自由に文章を書けます。例えば、スクリプトの説明を書いたり、次に行う作業のメモを書いたり、といった使い方があります。
　PHPのコメントには複数の記法があります。まず、以下のように//を書くと、行末までがコメントになります。

```
// コメント
```

以下のように#を書いた場合も、行末までがコメントになります。

```
# コメント
```

以下のように/*と*/で囲んだ部分もコメントになります。

```
/* コメント */
```

/*と*/を使ったコメントは、以下のように複数行に渡って書くこともできます。

```
/*
コメント
…
*/
```

　スクリプトが短くて簡単なうちは、コメントを書かなくてもあまり困らないでしょう。スクリプトが長く複雑になってきて、もし必要を感じたら、コメントを書いてみてください。的確なコメントを書くことで、スクリプトの見通しがよくなり、開発の効率が上がる可能性があります。
　なお、コメントは説明やメモを書く以外に、スクリプトの処理を無効にするためにも使えます。これはコメントアウトと呼ばれる手法です。以下のように//を書くと、行末までの処理を無効にできます。

```
// 処理
```

　以下のように#を書いても、//と同じ効果が得られます。

```
# 処理
```

　複数行の処理を無効にしたいときには、/*と*/が便利です。

```
/*
処理
…
*/
```

Chapter 7のまとめ

　本章ではショッピングサイトを題材に、実用的なスクリプトの例を紹介しました。本章のサンプルは、全体としてWebアプリケーション開発に流用していただくことも、ログインやカートといった個別の機能を流用していただくことも可能です。皆様の学習や、開発の材料に使っていただけたら幸いです。

Chapter 8

Webアプリケーションとして
公開する

本章では開発したWebアプリケーションを外部に公開するために必要な知識を学びます。本書ではWindows/macOS上で学習を進めてきましたが、実際にWebアプリケーションを公開する環境の多くはLinuxです。そこで、Windows/macOS上にLinuxをインストールし、Linux環境でWebアプリケーションを動かしてみます。

公開に備えて、スクリプトのエラーメッセージ表示を調整する方法も学びます。最後には、本書を学んだ後に、PHPの知識をどのように活用するのかというアイディアを紹介します。

Windows上に
Linux環境を準備する

　本書ではこれまで、XAMPP/MAMPを用いてPHPプログラミングを学んできました。XAMPP/MAMPを使うことで、PHPプログラミングに必要なApache、MySQL（MariaDB）、PHPといったツールを、とても簡単に導入できます。特に、普段の環境がWindows/macOSの場合には、慣れた環境でPHPプログラミングを学べるのがXAMPP/MAMPの利点です。

　一方で、実際にWebアプリケーションを運用する環境の多くはLinuxです。PHPプログラミングの手法は変わりませんが、ファイルの配置方法や、Apache/MySQLの操作方法などがXAMPP/MAMPとは異なります。

　本章では、Linux環境でPHPによるWebアプリケーションを動作させる方法を解説します。とはいえ、普段使っているWindowsやmacOSのコンピュータとは別に、Linux用のコンピュータを用意するのは大変でしょう。そこで、WindowsやmacOS上にLinuxをインストールして、Webアプリケーションを動かしてみます。

　Windowsをお使いの方は8-1（このセクション）を、macOSをお使いの方は8-2（次のセクション）を読んで、Linuxをインストールしてください。本書ではLinuxのディストリビューションの1つである、Ubuntu（ウブントゥ、ウブンツ）を使います。インストールが完了したら、どちらのOSをお使いの方も8-3に進み、Linux環境でWebアプリケーションを動かしてみてください。

 ## WSLを使ったLinuxのインストール

　WSL（Windows Subsystem for Linux）は、Windows上にLinux環境を構築するための機能です。WindowsとLinuxを切り替えて使うのではなく、Windows上でLinux用のアプリケーションを動かせます。WSLに対応したディストリビューションのなかから、好きなディストリビューションを選んでインストールできます。複数のディストリビューションをインストールし、並行して使うことも可能です。WSLを利用するには、Windows 11またはWindows 10（64ビット版かつバージョン1903以降）が必要です。

　本書では、WSL上にLinux（Ubuntu）の環境を構築し、Apache/MySQL/PHPをインストールします。そして、この環境でWebアプリケーションを実行し、Windows上のWebブラウザから利用してみます。

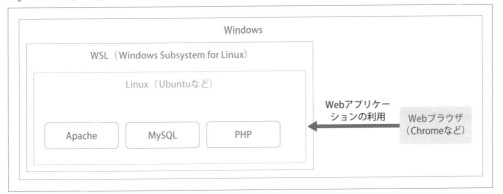

WSLを使ってLinuxをインストールしましょう。まずはWindowsのスタートメニューで「cmd」
❶と入力し、「コマンドプロンプト」❷が表示されたら、[管理者として実行]❸を選択してください。

Fig　コマンドプロンプトを管理者として実行

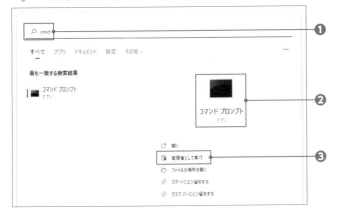

もし「このアプリがデバイスに変更を加えることを許可しますか？」というダイアログが表示さ
れたら、[はい]を選択してください。管理者のコマンドプロンプトが起動したら成功です。

Fig　起動したコマンドプロンプト

このコマンドプロンプトで、以下のようにwslコマンドを実行します。実際のコマンドプロンプトには、「C:¥WINDOWS¥system32>」のようなプロンプト（入力を促す文字列）が表示されますが、以下では簡単に「>」で示しました。「-l」(list) はディストリビューションの一覧を表示するオプションで、「-o」(online) はオンラインから情報を取得するオプションです。

```
> wsl -l -o
```

実行に成功すると、インストール可能なディストリビューションの一覧が表示されます。以下は本書の執筆時点（2022年7月）における一覧です。この一覧は随時変わる可能性があります。

Table WSLでインストール可能なディストリビューションの一覧

名前	説明
Ubuntu	Ubuntu（既定のバージョン）
Debian	Debian GNU/Linux
kali-linux	Kali Linux Rolling
openSUSE-42	openSUSE Leap 42
SLES-12	SUSE Linux Enterprise Server v12
Ubuntu-16.04	Ubuntu 16.04 LTS
Ubuntu-18.04	Ubuntu 18.04 LTS
Ubuntu-20.04	Ubuntu 20.04 LTS

本書ではUbuntu（既定のバージョン）をインストールします。コマンドプロンプトで以下のコマンドを実行してください。「--install」はインストールを行うオプションで、「-d」(distribution) はディストリビューションを指定するオプションです。

```
> wsl --install -d Ubuntu
```

上記で「Ubuntu」の部分に、前述の一覧における名前を指定すると、他のディストリビューションもインストールできます。また、以下のMicrosoft Storeから、上記の表にはないディストリビューションを入手することも可能です。

▶ **Microsoft Store**
URL https://www.microsoft.com/ja-jp/store/apps

先ほどのコマンドは、Windowsの「仮想マシンプラットフォーム」と「Linux用Windowsサブシステム」という機能をインストールした後に、指定したディストリビューションをインストールし

ます。もしインストールの後にシステムの再起動を求められたら、以下のコマンドを実行し、OS
を再起動してください。

```
> shutdown -r -t 0
```

インストールあるいは再起動が終わると、Ubuntuのターミナル（端末）が表示されます。ターミ
ナルが表示されない場合は、スタートメニューで「ubuntu」と入力し、表示された「Ubuntu」を実
行してください。あるいは、コマンドプロンプトで「wsl」コマンドを実行しても構いません。

Fig　Ubuntuのターミナル

ターミナルでは、以下のようにユーザー名とパスワードの入力を求められます。好きなユーザー
名とパスワードを入力してください。パスワードは画面に表示されません。

- ▶ **Enter new UNIX username:** ← ユーザー名を入力
- ▶ **New password:** ← パスワードを入力（非表示）
- ▶ **Retype new password:** ← パスワードを再入力（非表示）

Ubuntuのバージョンが「Welcome to Ubuntu ○.○ …」のように表示され、以下のようなプロ
ンプトが出現したら、インストールは成功です。本書の執筆時点では「Ubuntu 20.04 LTS」がイ
ンストールされました。

```
ユーザー名@コンピュータ名:~$
```

 WSLにおけるLinuxのアンインストール

WSLを使ってインストールしたディストリビューションを、アンインストールする方法を紹介
しておきます。ディストリビューションが不要になった場合や、上手く動作しない場合には、以下
の方法でアンインストールしてみてください。なお、コマンドプロンプトで以下のコマンドを実行
すると、インストールされたディストリビューションの一覧を表示できます。

```
> wsl -l
```

ディストリビューションのアンインストールは、Windowsの「アプリと機能」から行います。「アプリと機能」は、［Windows］＋［X］キーで表示されるメニューから開けます。

Ubuntuをアンインストールする場合は、［アプリの一覧］から「ubuntu」❶を検索します。表示された［Ubuntu］の右端にある［：］❷を選択し、［アンインストール］❸を実行します。

Fig　Ubuntuのアンインストール

これでWindows上にLinuxをインストールする作業は終わりです。8-3に進んで、Webアプリケーションを動かしてみてください。

macOS上に Linux環境を準備する

　ここでは**multipass**（マルチパス）というソフトウェアを使って、macOS上にLinux環境を構築する方法を説明します。multipassはUbuntuを開発しているCanonical（カノニカル）社の製品です。multipassを使うと、macOSとLinuxを切り替えて使うのではなく、macOS上でLinux用のアプリケーションを動かせます。multipassに対応したディストリビューションのなかから、好きなディストリビューションを選んでインストールできます。複数のディストリビューションをインストールし、並行して使うことも可能です。

　本書では**multipass上にLinux（Ubuntu）の環境を構築し、Apache/MySQL/PHPをインストールします。**そして、この環境でWebアプリケーションを実行し、macOS上のWebブラウザから利用してみます。

Fig　macOS、multipass、Linuxの関係

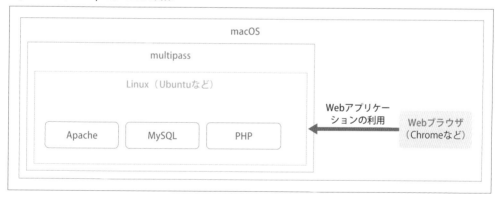

 ## multipassのインストール

　multipassをインストールするために、まずは**Homebrew**（ホームブルー）というソフトウェアをインストールします。Homebrewはパッケージ管理システムと呼ばれるソフトウェアの一種で、いろいろなソフトウェアを簡単にインストールするために使います。

▶ **Homebrewの公式サイト**
`URL` https://brew.sh

macOSのターミナルを起動してください。[command] ＋スペースキーを押して、Spotlight
検索で「terminal」と入力し、表示された「ターミナル」（terminal.app）を実行します。以下のよう
なターミナルが起動したら成功です。

Fig　macOSのターミナル

```
● ● ●                    higpen — -zsh — 80x8
Last login: Tue Jul 26 17:51:33 on ttys004
higpen@mac ~ % █
```

ターミナルで以下のコマンドを実行し、Homebrewをインストールします。実際のターミナル
には、「ユーザー名＠コンピュータ名 フォルダ名 %」のようなプロンプト（入力を促す文字列）が表
示されますが、以下では簡単に「%」で示しました。

以下のコマンドは長いので、紙面では途中で改行しましたが、実際には改行せずに入力してくだ
さい。なお、前述のHomebrewの公式サイトには、以下のコマンドが掲載されているので、コ
ピーして貼り付けるのもおすすめです。

```
% /bin/bash -c "$(curl -fsSL https://raw.githubusercontent.com/
  Homebrew/install/HEAD/install.sh)"
```

インストールが完了したら、以下のコマンドを実行してみてください。「Homebrew ○.○.○」
のように、Homebrewのバージョンが表示されたら成功です。

```
% brew -v
```

次はmultipassをインストールします。以下のコマンドを実行してください。

```
% brew install --cask multipass
```

インストールが完了したら、以下のコマンドを実行してみてください。「multipass ○.○.○」の
ように、multipassのバージョンが表示されたら成功です。

```
% multipass -V
```

multipassを使ったLinuxのインストール

multipassを使ってLinuxをインストールしましょう。ターミナルで以下のコマンドを実行してください。

```
% multipass find
```

実行に成功すると、インストール可能なイメージ（ディストリビューション）の一覧が表示されます。以下は本書の執筆時点（2022年7月）における一覧です。この一覧は随時変わる可能性があります。

Table　multipassでインストール可能なディストリビューションの一覧

名前	説明
18.04	Ubuntu 18.04 LTS
20.04	Ubuntu 20.04 LTS
21.10	Ubuntu 21.10
22.04	Ubuntu 22.04 LTS
anbox-cloud-appliance	Anbox Cloudアプライアンス
charm-dev	Charmの開発とテストのための環境
docker	Portainerや関連ツールを含むDocker環境
minikube	ローカル環境のKubernetes

本書ではmultipassにおける既定のディストリビューションをインストールします。以下のコマンドを実行してください。「-n」(name)は、作成するインスタンスの名前です。multipassにおけるインスタンスとは、Linuxを動作させるための仮想的なコンピュータのことです。

以下ではインスタンス名を「kiwi」（キーウィ）としましたが、好きな名前に変更しても構いません。変更した場合は、以後の操作における「kiwi」の部分を、変更後の名前にしてください。

```
% multipass launch -n kiwi
```

本書の執筆時点では、上記のコマンドによって「Ubuntu 20.04 LTS」がインストールされました。インストールするディストリビューションを指定する場合は、前述の一覧における名前をコマンドの末尾に指定します。以下は「20.04」を指定した例です。

```
% multipass launch -n kiwi 20.04
```

「Launched: インスタンス名」と表示されたら、インストールは成功です。以下のコマンドを実行して、インスタンスの一覧を表示してみてください。

```
% multipass list
```

以下のように、名前（Name）、状態（State）、IPアドレス（IPv4）、イメージ（Image）が表示されれば成功です。IPアドレスはmultipassが自動的に割り当てるので、以下の例（192.168.64.3）とは異なる可能性があります。このIPアドレスは、後ほどWebアプリケーションを実行する際に必要なので、メモしておいてください。

```
Name   State    IPv4          Image
kiwi   Running  192.168.64.3  Ubuntu 20.04 LTS
```

続いて、LinuxからmacOSのホームフォルダを読み書きできるようにします。以下のコマンドを実行してください。

```
% multipass mount ~ kiwi:~/home
```

上記のコマンドを実行したときに、以下のようなエラーが表示されることがあります。この場合はエラーが表示されなくなるまで、何度か上記のコマンドを実行してみてください。

```
mount failed: Error enabling mount support in 'kiwi'
```

最後は、インストールしたUbuntuのシェル（コマンドを入力するためのユーザーインタフェース）を起動します。以下のコマンドを実行してください。

```
% multipass shell kiwi
```

Ubuntuのバージョンが「Welcome to Ubuntu ○.○ LTS」のように表示され、以下のようなプロンプトが出現したら、インストールは成功です。以下の「ubuntu」はユーザー名で、「kiwi」はインスタンス名です。

```
ubuntu@kiwi:~$
```

Ubuntuのシェルを終了するには、以下のようにexitコマンドを実行します。「logout」（ログアウト）と表示され、元のプロンプト（%）に戻ったら成功です。

```
ubuntu@kiwi:~$ exit
```

multipassにおけるLinuxのアンインストール

　multipassを使ってインストールしたディストリビューションを、アンインストールする方法を紹介しておきます。ディストリビューションが不要になった場合や、上手く動作しない場合には、以下の方法でアンインストールしてみてください。

　インスタンスを削除するには、以下の2個のコマンドを実行します。**delete**は指定したインスタンスを削除するコマンドで、**purge**は削除したインスタンスを完全に除去するコマンドです。

```
% multipass delete kiwi
% multipass purge
```

　インスタンスの削除を確認するには、以下のコマンドを実行して、インスタンスの一覧を表示します。インスタンスがない場合は「No instances found.」(インスタンスが見つからない) と表示されます。

```
% multipass list
```

　これでmacOS上にLinuxをインストールする作業は終わりです。8-3に進んで、Webアプリケーションを動かしてみてください。

IPアドレス

　IPアドレスというのは、インターネットなどのネットワークにおいて、通信の相手先を識別するための番号です。IPアドレスにはIPv4とIPv6という2つのバージョンがあります。multipassでも使うIPv4は、例えば「193.168.64.3」のように、0 〜 255の数字4つを「.」で区切って表します。
　1台のコンピュータに対して、複数のIPアドレスを割り当てることがあります。multipassの場合は、macOSが使うIPアドレスとは別のIPアドレスを、Linux環境に割り当てます。この方式には、macOSとLinux環境で同時にApacheやMySQLを起動した場合でも、互いに干渉せずに動作するという利点があります。

8-3

Linux環境で Webアプリケーションを動かす

構築したLinux環境を使って、Webアプリケーションを動かしましょう。Windowsの場合、Linux環境でWebアプリケーションを実行する際には、XAMPPコントロールパネルでApache/MySQLの［Stop］を選択し、サーバを停止しておいてください。サーバが起動したままだと、XAMPPとLinux環境の間でポート番号が衝突して、正常に動作しないことがあります。一方、macOSの場合は、MAMPのサーバが起動したままでも大丈夫です。

以下の手順は、Windows（WSL）とmacOS（multipass）に共通です。WindowsではUbuntuのターミナルを、macOSではUbuntuのシェルを使って操作します。

🥝 インストールの準備

まずはソフトウェアをインストールするための準備をしましょう。以下のコマンドを実行してください。**sudo**（スードゥー）は管理者として処理を実行するコマンドで、**apt**（アプト）はパッケージ（ソフトウェア）を管理するコマンドです。以下のように**update**コマンドを実行すると、インストール可能なパッケージの一覧をアップデートします。なお、実際には「ユーザー名@コンピュータ名:~$」のようなプロンプトが表示されますが、本書では簡単に「$」で示します。

```
$ sudo apt update
```

もしコマンドの実行中に、「[sudo] password for ユーザー名:」のように表示されたら、Linuxのインストール時に設定したパスワードを入力してください。無事に実行できたら、以下のコマンドを実行します。以下の**upgrade**（アップグレード）コマンドは、インストール済みのパッケージを更新します。「-y」は、インストール中の質問に対して自動的に「はい」（yes）と答えるオプションです。なお、このコマンドは実行に時間がかかることがあります。

```
$ sudo apt upgrade -y
```

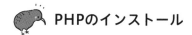 **PHPのインストール**

次はPHPをインストールしましょう。以下のコマンドを実行してください。

```
$ sudo apt install -y php php-mysql
```

インストールが完了したら、以下のコマンドを実行してください。「PHP ○.○.○…」のように、PHPのバージョンが表示されれば成功です。本書の執筆時点（2022年7月）では、バージョンは「PHP 7.4.3」でした。

```
$ php -v
```

 Apacheのインストール

続いては、WebサーバのApacheをインストールしましょう。以下のコマンドを実行してください。

```
$ sudo apt install -y apache2
```

インストールが完了したら、以下のコマンドを実行してください。Apacheのサービスを再起動します。

```
$ sudo service apache2 restart
```

インストールしたApacheを使って、本書のWebアプリケーションを実行してみましょう。そのためには、スクリプトなどの一式をUbuntuの「/var/www/html」フォルダ以下にコピーする必要があります。Windows/macOSにおいて、それぞれ以下のように操作してください。

🍃 **Windowsの場合**

Windowsの場合は、本書の2-4（p.37）を参考にサンプルデータを展開し、「php」フォルダをデスクトップにコピーしてください。そして、Ubuntuのターミナルで以下のコマンドを実行します。cp（コピー）コマンドを使って、デスクトップの「php」フォルダを「/var/www/html」フォルダ以下にコピーします。以下で「ユーザー名」の部分は、Windowsでお使いのユーザー名にしてください。

```
$ sudo cp -r /mnt/c/Users/ユーザー名/Desktop/php /var/www/html
```

ブラウザで以下のURLを開いてください。「Welcome」と書かれたページが表示されれば成功です。

実行 http://localhost/php/chapter3/welcome.php

🐤 macOSの場合

　macOSの場合は、本書の2-4（p.37）を参考にサンプルデータを展開し、「php」フォルダをホームフォルダにコピーしてください。そして、Ubuntuのターミナルで以下のコマンドを実行します。cp（コピー）コマンドを使って、ホームフォルダの「php」フォルダを「/var/www/html」フォルダ以下にコピーします。

```
$ sudo cp -r ~/home/php /var/www/html
```

　ブラウザで以下のURLを開いてください。以下でIPアドレス（192.168.64.3）の部分は、8-2で「multipass list」を実行したときに表示されたIPアドレスにします（p.324）。「Welcome」と書かれたページが表示されれば成功です。

実行 http://192.168.64.3/php/chapter3/welcome.php

 MySQLのインストール

　最後はMySQLをインストールします。以下のコマンドを実行してください。

```
$ sudo apt install -y mysql-server
```

　Windowsの場合は、以下のコマンドも実行してください。MySQLが使うフォルダに関する設定です。

```
$ sudo usermod -d /var/lib/mysql mysql
$ sudo chmod 755 /run/mysqld
```

　インストールが完了したら、以下のコマンドを実行してください。MySQLのサービスを再起動します。

```
$ sudo service mysql restart
```

　次はMySQL上に、本書のサンプルデータベースを構築しましょう。以下のコマンドを実行してください。7-1（p.264）で解説したshop.sqlをMySQLに入力し、データベースを作成します。

```
$ sudo mysql -u root < /var/www/html/php/chapter7/shop.sql
```

データベースを正しく作成できたかどうかを確認します。以下のコマンドを実行してください。「Enter password: 」と表示されたら、「password」と入力してください。「mysql>」のように、MySQLのプロンプトが表示されたら成功です。

```
$ mysql shop -u staff -p
```

MySQLのプロンプトに続けてSQL文を入力すると、SQL文を実行できます。まずは以下のように入力して、テーブルの一覧を表示してみてください。

```
mysql> show tables;
+-----------------+
| Tables_in_shop  |
+-----------------+
| customer        |
| favorite        |
| product         |
| purchase        |
| purchase_detail |
+-----------------+
5 rows in set (0.01 sec)
```

次は以下のように入力してみてください。商品（product）テーブルの内容を表示します。

```
mysql> select * from product;
+----+----------------------------+-------+
| id | name                       | price |
+----+----------------------------+-------+
|  1 | 松の実                      |   700 |
|  2 | くるみ                      |   270 |
|  3 | ひまわりの種                 |   210 |
|  4 | アーモンド                   |   220 |
|  5 | カシューナッツ               |   250 |
|  6 | ジャイアントコーン           |   180 |
|  7 | ピスタチオ                   |   310 |
|  8 | マカダミアナッツ             |   600 |
|  9 | かぼちゃの種                 |   180 |
| 10 | ピーナッツ                   |   150 |
| 11 | クコの実                     |   400 |
+----+----------------------------+-------+
11 rows in set (0.00 sec)
```

MySQLを終了するには、以下のように入力してください。Ubuntuのプロンプト（$）に戻れば成功です。

```
mysql> exit;
```

これでMySQLの動作確認は完了です。最後にデータベースを使ったページを表示してみましょう。Windowsの場合は、ブラウザで以下のURLを開いてください。

実行 http://localhost/php/chapter7/product.php

macOSの場合は、ブラウザで以下のURLを開きます。IPアドレス（192.168.64.3）の部分は、8-2で「multipass list」を実行したときに表示されたIPアドレスにしてください。

実行 http://192.168.64.3/php/chapter7/product.php

いずれの場合も、商品の一覧が表示されれば成功です。これでPHP、Apache、MySQLのインストールと動作確認が完了しました。Linux環境でWebアプリケーションを公開するまでの、基本的な手順を学べたかと思います。実際にWebアプリケーションを公開する際には、お使いになる環境（クラウドサービスやレンタルサーバなど）の利用方法を確認して、ネットワークの設定やセキュリティの対策を実施してください。

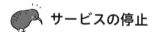 サービスの停止

Linux環境におけるApacheやMySQLのサービスを停止する方法を紹介します。Windowsで XAMPPを使うときには、ポート番号の衝突を防ぐために、これらのサービスを停止してください。一方、macOSでMAMPを使うときには、これらのサービスが起動したままでも大丈夫です。

まずはサービスの一覧を表示してみましょう。以下のコマンドを実行してください。

```
$ sudo service --status-all
 [ - ]  apache-htcacheclean
 [ + ]  apache2                    ← Apache
...
 [ + ]  mysql                      ← MySQL
...
```

「-」が表示されているサービスは停止中で、「+」が表示されているサービスは動作中です。上記の例では、Apache（apache2）とMySQL（mysql）は動作しています。

ApacheとMySQLのサービスを停止してみましょう。以下のコマンドを実行してください。エラーが表示されなければ成功です。上記の方法でサービスの一覧を表示して、ApacheとMySQLの表示が「-」に変わったことを確認してください。

```
$ sudo service apache2 stop
$ sudo service mysql stop
```

サービスを起動するには、以下のコマンドを実行します。「start」のかわりに「restart」とすれば、動作中のサービスを再起動できます。いずれの場合も、エラーが表示されなければ成功です。

```
$ sudo service apache2 start
$ sudo service mysql start
```

 ## PHP、Apache、MySQLのアンインストール

インストールしたPHP、Apache、MySQLを、アンインストールする方法を紹介しておきます。これらのソフトウェアが不要になった場合や、上手く動作しない場合には、以下の方法でアンインストールしてみてください。もしLinux環境が不要になった場合には、8-1や8-2で紹介した手順に沿って、Linux環境を丸ごとアンインストールしてください。

まずはApacheとMySQLのサービスを停止します。以下のコマンドを実行してください。エラーが表示されなければ成功です。

```
$ sudo service apache2 stop
$ sudo service mysql stop
```

次にPHP、Apache、MySQLをアンインストールします。以下のコマンドを実行してください。これらに関連するパッケージも、一緒にアンインストールされます。

```
$ sudo apt autoremove -y php php-mysql apache2 mysql-server
```

エラーメッセージ表示を調整する

Webアプリケーションを公開するうえで、PHPが表示するエラーメッセージを調整する方法を紹介します。

PHPスクリプトを実行すると、エラーが表示されることがあります。例えばChapter3のuser-output.php（p.68）は、user-input.phpを経由しないで実行すると、必要なリクエストパラメータが設定されていないため、エラーメッセージが表示されます。

スクリプトを実行するには、ブラウザで以下のURLを開きます。XAMPP（p.26）またはMAMP（p.34）からApacheを起動しておいてください。

実行 http://localhost/php/chapter3/user-output.php

実行すると、以下のようなエラーメッセージが表示されます。

Fig エラーメッセージ

user-output2.php（p.72）のように、リクエストパラメータが設定されているかどうかを確認すれば、エラーの発生を防止することができます。しかし、確認の処理を省略したい場合や、確認の処理をうっかり忘れている場合もあるでしょう。このような場合は、エラーメッセージが表示されます。

 ## エラーメッセージ表示の抑制

スクリプトの開発中には、エラーメッセージが表示された方が好都合です。エラーを発見して、修正することができるからです。一方、スクリプトを公開する際には、エラーメッセージが表示されると、いかにも欠陥があるように見えてしまい、不都合なことがあります。

このような場合には、エラーメッセージの表示を抑制する機能が役立つことがあります。

書式 エラーメッセージの抑制

```
error_reporting(レベル);
```

以下のような定数を引数に設定して、出力するエラーメッセージのレベルを設定します。

Table   error_reportingのレベル

定数	内容
0	全てのエラーを表示しない
E_ERROR	重大な実行時エラー。スクリプトの実行を中断する
E_WARNING	実行時の警告。スクリプトの実行は中断されない
E_PARSE	スクリプト解析時のエラー。文法上の誤りがあるときに発生する
E_NOTICE	実行時の注意。スクリプトに誤りがある疑いがあると発生する
E_ALL	全てのエラーを表示する

E_ERROR、E_WARNING、E_PARSE、E_NOTICEは、| で区切って組み合わせることができます。例えばE_ERRORとE_WARNINGを表示したい場合には、`E_ERROR|E_WARNING`のように記述します。

以下のようにレベルを「0」にすると、まったくエラーメッセージを表示しなくなります。

```
error_reporting(0);
```

例えば本書の場合、ほぼ全てのスクリプトが読み込むheader.phpの末尾に、以下のような記述を追加すると、どのスクリプトでもエラーメッセージが表示されなくなります。

List header.php

```
...
<body>
<?php error_reporting(0); ?>
```

error_reportingを記述した後に、user-output.phpをもう一度実行してみましょう。実行すると、以下のような結果になります。名前は入力していないので出力されませんが、エラーメッセージは表示されません。

Fig   エラーメッセージを表示しない

ようこそ, さん。

開発中は、ぜひエラーメッセージが表示されるようにして、問題の修正に役立てましょう。公開する際に、エラーメッセージが表示されるのが好ましくなければ、上記の方法が使えます。

PHPをもっと活用する

本書ではPHPプログラミングを学び、ApacheやMySQLを活用して、Webアプリケーションを開発してきました。本書で学んだ知識を使って、実現できることをさらに増やすために、これから先の展開をいくつか紹介します。

 ## PHPの学習方法

本書では、入門者がWebアプリケーションを開発する際に必要となるものに絞って文法を解説しましたが、本書で紹介しなかった文法を学ぶと、読みこなせるスクリプトの幅が広がったり、より複雑なスクリプトを書けるようになったりします。文法を学ぶには、**PHPの公式マニュアル**などが活用できます。

▶ **PHP公式マニュアル**
`URL` https://php.net/manual/ja/

例えば、本書では既存の関数やクラスを利用する方法を学びましたが、自分で関数やクラスを新しく定義することもできます。定義の方法を学ぶと、大規模なスクリプトを記述するときに役立つでしょう。

 ## WordPressにおけるPHPの活用

WordPressは、広く利用されている、オープンソースのブログ・CMSプラットフォームです。CMSとは、Content Management Systemの略で、Webを構成するテキストや画像などのコンテンツを管理するシステムのことです。

WordPressはPHPとMySQLを使って構築されています。そのため、WordPressの挙動を理解したり、調整したりする際に、PHPの知識が役立ちます。例えば条件分岐や関数呼び出しを使った簡単なスクリプトを書いて、ページの種類に応じて表示内容を変化させる、といったことができます。

Webサーバを使わずに動作するPHPスクリプト

本書ではPHPスクリプトをWebサーバから実行しましたが、Webサーバを使わずにスクリプトを動かす方法もあります。PHPをインストールすると、**php**というコマンドが使えるようになります。このphpコマンドを使って、スクリプトを実行することができます。

```
php スクリプトファイル
```

上記は指定したスクリプトファイルを実行します。例えば、8-3（p.326）の手順でLinux環境にPHPをインストールしたうえで、以下のコマンドを実行すると、画面に「Welcome」と表示されます。

```
$ php /var/www/html/php/chapter2/welcome.php
```

この方法を使うと、PHPでWebアプリケーション以外のソフトウェアを開発することができます。例えばファイルを加工したり、データベースを操作したりといった、自分が必要なツールを開発して、仕事に役立てることが可能です。

Web APIの利用

Web APIとは、Web上で提供されるサービスの機能を、HTTPのリクエストとレスポンスを用いて呼び出せるようにしたものです。スクリプトからサービスに対して指定されたリクエストを送信すると、サービスの機能を実行して、結果をレスポンスとして受信することができます。あたかも関数呼び出しを行うように、スクリプトからWeb上のサービスを利用することが可能です。

PHPはWeb APIを利用しやすいプログラミング言語の1つです。例えばWeb APIのリクエストやレスポンスにはJSON形式がよく使用されますが、5-7（p.168）で紹介したように、PHPにはJSONを簡単に扱う機能があります。

例えばTwitterなどは、**Twitter API**と呼ばれるWeb APIを提供しています。このWeb APIを利用すると、ツイートを自動的に収集したり、自動的にツイートしたりといったスクリプトを開発することができます。

以下はPHPから利用可能なWeb APIの例です。それぞれの詳細については、API名で検索するなどして確認してください。

Table　PHPから使えるWeb APIの例

API名	機能
Amazon Product Advertising API	商品の検索、商品情報の取得など
Bing Search API	Webページや画像などの検索
Google Custom Search API	Webページや画像などの検索
Google Maps API	住所から緯度・経度への変換、道順の検索など
Twitter API	ツイートの投稿、取得、検索など
Yahoo! JAPAN Web API	ショッピング、地図、テキスト解析など
Rakuten Web Service	商品検索、宿泊の空室検索など

 ライブラリの利用

　本書のChapter5では、PHPにあらかじめ用意された関数を利用して、さまざまな機能を実現する方法を紹介しました。Chapter6ではクラスも利用しました。このように便利な関数やクラスを活用すると、目的の機能を効率的に開発することができます。

　ライブラリとは、アプリケーションの開発を支援するソフトウェアです。アプリケーションの作成に役立つさまざまな機能を、関数やクラスとして提供します。PHPが標準で提供する関数やクラスも、ライブラリの一種だといえます。

　標準以外のライブラリも数多く開発されています。自分の目的に合ったライブラリを導入することによって、高機能なアプリケーションを作成したり、開発期間を短くしたりすることができます。

　以下はPHPでよく使われているライブラリの例です。

Table　PHP用ライブラリの例

ライブラリ名	用途	入手先
Carbon	日時の操作	https://github.com/briannesbitt/Carbon
Guzzle	HTTPによる通信	https://github.com/guzzle/guzzle
Imagine	画像の加工	https://github.com/php-imagine/Imagine
PHPMailer	メールの送信	https://github.com/PHPMailer/PHPMailer
pChart	グラフの描画	http://www.pchart.net/
Sentry	ユーザーの管理	https://github.com/cartalyst/sentry
Validation	入力値の検証	https://github.com/Respect/Validation

　インストール方法はライブラリによって異なります。ダウンロードした「.php」ファイルをフォルダにコピーする方法や、Composerと呼ばれるツールを使う方法などがあります。Composer

はライブラリのインストールや更新、ライブラリ間の依存関係管理などを行うツールです。

▶ **Composerの公式サイト**
URL　https://getcomposer.org/

　ライブラリが提供する関数やクラスを利用することで、簡単かつ簡潔にスクリプトを書ける場合があります。上手に活用してみてください。

 ## フレームワークの利用

　フレームワークもライブラリと同様に、アプリケーションの開発を支援するソフトウェアです。フレームワークは便利な関数やクラスを提供するだけではなく、アプリケーションの記述方法を規定します。例えば、「リクエストの処理はこの場所にこの方法で記述せよ」とか、「結果を出力する処理はこの場所にこの方法で記述せよ」といったように、記述方法が決められています。
　フレームワークは、アプリケーションに必要な機能を部分的に提供するのではなく、アプリケーションを構築するための枠組みを丸ごと提供します。ライブラリと同様に、上手に利用すれば、高機能なアプリケーションを短期間で開発することができます。
　また、多人数でアプリケーションを開発する場合に、フレームワークを利用することで、アプリケーションの記述方法を統一することができます。チーム内で情報を共有することが容易になり、開発効率が向上する可能性があります。
　以下はPHPでよく使われているフレームワークの例です。

Table　PHP用フレームワークの例

フレームワーク名	特徴	公式サイト
CakePHP	広く利用されていて資料が多い	https://cakephp.org/
Laravel	近年急速に普及している	https://laravel.com/
CodeIgniter	軽量で速度を重視している	https://www.codeigniter.com/
Symfony	大規模な開発に向いている	https://symfony.com/
Laminas Project	記述方法の自由度が高い	https://getlaminas.org/

 ## botの開発

　bot（ボット）とは、チャットサービスにおいて自動的に発言したり、発言を解析してサービスを提供したりするソフトウェアのことです。よく見かけるのは、自動的に面白い発言をしたり、人の

発言に相づちを打ったりするbotです。

一方で、ソフトウェアの開発や公開の作業を支援するbotを使って、業務を効率化する試みもあります。また、FacebookやLINEなどのサービスが、これらのサービス上で動作するbotを開発するための仕組みを提供しています。

PHPはbotを開発しやすい言語の1つです。botのプログラミングにもWeb APIやJSONを利用するので、これらを扱いやすいPHPはbotの作成に向いています。本書で学んだ知識を活用して、botの開発に挑戦するのも楽しそうです。

Chapter 8 のまとめ

本章では開発したWebアプリケーションを公開するための知識を学びました。実際にWebアプリケーションを公開する環境に近い、練習用のLinux環境を使って、ファイルの配置やコマンドの操作に慣れてみてください。

また、本書を学んだ後の展開についても触れました。より深くPHPを学んだり、Webアプリケーション以外のソフトウェア開発に挑戦するなど、ぜひ学んだ知識を活用してみてください。

一度では理解できなかった項目があっても大丈夫です。その項目が必要になったときに、もう一度スクリプトを動かしたり、解説を読んだりしてみてください。

本書を最後までお読みいただき、ありがとうございました！

Index

■著者プロフィール

松浦健一郎（まつうら けんいちろう）

東京大学工学系研究科電子工学専攻修士課程修了。研究所勤務を経て、フリーのプログラマ&ライター&講師として活動中。企業や研究機関向けのソフトウェア、ゲーム、ライブラリ等を受注開発している。

司 ゆき（つかさ ゆき）

東京大学理学系研究科情報科学専攻修士課程修了。学生時代から25年以上、プログラマおよびライターの仕事を続けている。書籍の執筆や翻訳のほか、ソフトウェアの受注設計開発を行う。

著者サイト

ひぐぺん工房　URL　https://higpen.jellybean.jp/

Twitter　https://twitter.com/higpenworks

■本書サポートページ

本書内で紹介したサンプルプログラムは、下記のURLよりダウンロード可能です。また、本書をお読みいただいたご感想、ご意見をお寄せください。

URL　https://isbn2.sbcr.jp/17141/

確かな力が身につく PHP「超」入門　第2版

2022年 9月30日　初版第1刷発行
2024年 4月17日　初版第4刷発行

著者 ……………………………… 松浦健一郎/司 ゆき

発行者 …………………………… 出井 貴完
発行所 …………………………… SBクリエイティブ株式会社
　　　　　　　　　　　　　　　〒105-0001　東京都港区虎ノ門2-2-1
　　　　　　　　　　　　　　　https://www.sbcr.jp/

印刷 …………………………… 株式会社シナノ
本文デザイン/組版 ………… クニメディア株式会社
本文キャラクターデザイン … ふかざわあゆみ
装丁 …………………………… 米倉英弘（株式会社 細山田デザイン事務所）